Carol

DO
pour Dolorès

Amanda Di Sclafani

la courte échelle

Les éditions de la courte échelle inc.
5243, boul. Saint-Laurent
Montréal (Québec) H2T 1S4

Directrice de collection:
Annie Langlois

Révision:
Lise Duquette

Conception graphique de l'intérieur:
Derome design inc.

Dépôt légal, 4e trimestre 2005
Bibliothèque nationale du Québec

La courte échelle reconnaît l'aide financière du gouvernement du
Canada par l'entremise du Programme d'aide au développement de
l'industrie de l'édition pour ses activités d'édition. La courte échelle
est aussi inscrite au programme de subvention globale du Conseil des
Arts du Canada et reçoit l'appui du gouvernement du Québec par
l'intermédiaire de la SODEC.

La courte échelle bénéficie également du Programme de crédit d'impôt
pour l'édition de livres — Gestion SODEC — du gouvernement du
Québec.

Données de catalogage avant publication (Canada)

Fréchette, Carole

　　DO pour Dolorès

　　Réédition

　　(Roman Ado; ADO028)

　　Publ. à l'origine dans la coll.: Roman+. c 1999.

　　ISBN 2-89021-829-5

　　I. Titre. II. Collection.

PS8561.R37D6 2005　　　jC843'.54　　　C2005-940588-0
PS9561.R37D6 2005

Imprimé au Canada

Carole Fréchette

Née à Montréal, Carole Fréchette rêvait, à seize ans, de devenir comédienne. En 1973, elle obtient un diplôme en interprétation à l'École Nationale de Théâtre du Canada, mais elle se tourne peu à peu vers l'écriture.

Aujourd'hui, elle est l'auteure de nombreuses pièces de théâtre, dont *Les sept jours de Simon Labrosse* et *La peau d'Élisa*. Ses pièces sont maintenant traduites en dix langues et sont jouées partout dans le monde. En 1995, elle recevait le prestigieux prix du Gouverneur général du Canada pour sa pièce *Les quatre morts de Marie*.

À la courte échelle, Carole Fréchette a publié deux romans dans la Collection Ado. Son roman *Carmen en fugue mineure* a été traduit en espagnol, en anglais et en chinois, et il a été finaliste au Prix du livre M. Christie en 1997 et au Prix Brive/Montréal 12/17 pour adolescents en 1996. Quant à son roman *DO pour Dolorès*, il a été traduit en anglais, en allemand, en italien et en chinois, et il fait partie de la Sélection White Ravens de la Bibliothèque internationale de Munich 2000.

Carole Fréchette aime la lecture et la musique, et elle raffole du cinéma. Elle pratique aussi l'aïkido.

De la même auteure, à la courte échelle

Collection Ado
Carmen en fugue mineure
DO pour Dolorès

Carole Fréchette

DO
pour Dolorès

la courte échelle

À Silvana,
pour son soutien
et son amitié.

Do

Assise sur le trottoir, au milieu des morceaux de verre éparpillés, je répète comme une litanie: c'était Do. J'en suis presque sûre. C'était Do.

— Mademoiselle, je suis désolé. Est-ce que je peux vous aider?

Le gros homme qui pue l'eau de Cologne s'est accroupi à côté de moi.

— Prenez mon bras. Relevez-vous.

J'entends sa respiration dans mon oreille. Il essaie de me tirer, mais je ne bouge pas. Je me revois, sortant du magasin, tenant mon paquet avec précaution. Je pensais: «Ma mère va l'aimer, le saladier, c'est sûr.» Ma mère adore la vaisselle. Elle en achète sans arrêt, surtout quand elle est déprimée. Elle a des quantités incroyables de vases, de bols, de petits pots de fantaisie, des services entiers qui dorment dans les placards. Elle dit que c'est gai, la vaisselle, et que c'est sécurisant.

«Un saladier importé d'Italie, a dit la vendeuse, une pièce magnifique, en réduction de soixante-quinze pour cent à cause d'une égratignure minuscule sur le côté, qui ne se voit presque pas.» La chance totale. Je n'ai pas hésité une seconde.

La dame a demandé si je voulais un emballage cadeau. Mais il n'y avait pas de boîte assez grande pour contenir la chose, alors j'ai dit: «Ça ne fait rien. Mettez-le dans un sac. Je vais faire attention. Je ne vais pas loin, de toute façon.»

Je pensais à ma mère, qui est complètement déprimée à cause des quarante-cinq ans qu'elle aura demain. Je pensais au sourire de satisfaction qu'elle ferait devant le bol d'un bleu profond, grand comme une baignoire de bébé. Je pensais à son *chum* Jean-Pierre qui allait sûrement faire une remarque idiote. Il gâche toujours tout, Jean-Pierre, avec son humour de petit pied. Et puis je l'ai vue, elle — mais était-ce bien elle? —, qui regardait une vitrine, de l'autre côté de la rue.

J'ai crié «Do!» et j'ai échappé le saladier qui s'est fracassé en mille morceaux.

Elle s'est tournée dans ma direction, l'air de chercher d'où venait le cri, et elle est partie à toute vitesse dans la foule. Je me suis précipitée, mais le gros homme qui pue l'eau de Cologne a choisi ce moment précis pour courir après son autobus. On s'est frappés, je suis tombée, je me suis coupé la main sur un éclat de verre.

— Vous saignez, mademoiselle. Attendez, laissez-moi faire.

Il étanche le sang avec des mouchoirs de papier. Je l'observe, sans rien sentir. On dirait la main de quelqu'un d'autre.

— Ça va?

Le mouchoir rougit très vite. Il en sort un autre, puis un autre.

Est-ce que c'était Do? Une petite robe rouge presque entièrement cachée par un chandail beige informe, ce n'est pas du tout son style. Des bas rayés rouge ketchup et jaune moutarde encore moins. Et les lunettes noires, les souliers plats et, surtout, les cheveux! À peine un petit duvet sur son crâne arrondi. Non, Do n'aurait jamais rasé sa chevelure…

Pourtant, je suis presque sûre que… Les longues jambes, la silhouette, la façon particulière de se déhancher… Mais alors, pourquoi n'a-t-elle pas répondu? Peut-être qu'elle ne m'a pas reconnue. J'aurais dû crier: «C'est moi, Véro!» J'aurais dû me relever tout de suite, j'aurais dû courir. J'aurais dû.

— Voyons, mademoiselle, il ne faut pas pleurer pour ça.

Qu'est-ce qu'il raconte?

Je touche mes joues. Elles sont mouillées. Il a raison, je pleure. Je n'avais pas remarqué.

— Venez, levez-vous. Vous ne pouvez pas rester là.

— Laissez-moi.

Ma voix est presque méchante.

— Bon. Comme vous voulez. Si je peux vous donner un conseil, retournez au magasin, ils vont vous le remplacer, votre vase.

Il ramasse les plus gros morceaux, les met dans le sac.

— Tenez. Montrez-leur ça. Ils vont comprendre. Je m'excuse encore… Je… Il faut que je m'en aille, maintenant. Mon autobus arrive.

Il part en courant.

Je le regarde monter dans l'autobus. Il me fait un signe de la main. Je ne bouge pas. Je frissonne. Il fait froid pour un 1er juin.

Assise sur le trottoir, je tiens le sac chiffonné de La Cuisine en folie avec, au fond, trois ridicules morceaux de saladier. Un saladier superbe, importé d'Italie. Ma mère l'aurait adoré. Ma mère adore la vaisselle. Est-ce que je l'ai déjà dit?

Je devrais me lever, je devrais vite chercher un autre cadeau pour ma mère qui est déprimée à cause de ses quarante-cinq ans. Je devrais replacer mes cheveux, essuyer mes joues, me lever lentement, tasser du pied les morceaux de verre, marcher, continuer ma journée.

Mais je ne fais rien. Rien d'autre que pleurer et saigner. C'est ridicule, pensez-vous. Une fille de seize ans et demi qui pleure parce qu'elle est tombée, parce qu'elle a brisé un saladier, parce qu'elle a vu une fille de l'autre côté de la rue, qui ressemble à une autre qu'elle a connue. Une réaction vraiment exagérée, c'est ce que vous pensez. C'est parce que vous ne connaissez pas Do. Vous ne savez pas ce qu'elle a été pour moi. Vous vous dites: «Oui, d'accord, mais pleurer, n'est-ce pas un peu trop?»

Vraiment, on voit que vous ne connaissez pas Do.

L'apparition

Elle est apparue dans ma vie un matin de mai. J'ai bien dit apparue. Comme la Sainte Vierge devant je ne sais plus qui. Ou comme E.T. Elle n'était pas là et puis pouf! elle était là. En plein cours de mathématiques.

Le prof avait donné une série d'exercices à faire et s'était plongé dans sa pile de corrections. Sous mon cahier de maths, j'avais glissé un livre, discrètement: *Autant en emporte le vent*.

Cette année-là, je lisais tout le temps. À la cafétéria, dans l'autobus, dans la cour d'école, dans toutes les circonstances et toutes les positions, je bouffais du roman. Même que ça inquiétait ma mère. Elle en parlait à ses amis — Suzanne, Francine, Huguette, Rosemarie, Bernard, Louis. Ma mère a énormément d'amis qui viennent à tour de rôle prendre d'interminables cafés dans notre cuisine encombrée.

De ma chambre, j'attrape quelquefois des bribes de leurs discussions. Ils passent invariablement de la politique au travail, aux «relations». Après quoi survient inévitablement la question: «Comment va Véro?» Alors, ils baissent le ton.

«Il me semble qu'elle lit trop», a murmuré ma mère un de ces samedis. «Voyons, Madeleine, une adolescente qui lit, c'est le rêve de tous les parents!» ont répliqué en choeur Francine et Rosemarie. «Je sais bien, mais elle, c'est différent. Des fois, j'ai l'impression qu'elle n'est plus dans la réalité quand elle plonge dans ses romans.» Ma mère s'inquiète pour moi.

Donc, cet après-midi-là, je lisais. Pendant que les autres bûchaient sur leurs équations et qu'à mes côtés JFK se prenait la tête en gémissant. (Il s'appelle Jean-Frédérick Kavanagh. Cette année-là, il était nul dans la plupart des matières, mais il s'en foutait, car, disait-il, ses initiales le promettaient à un brillant avenir.)

J'étais en fait quelque part dans le nord de la Géorgie et j'assistais, fascinée, à la première rencontre de Scarlett O'Hara et Rhett Butler. Elle, baveuse et magnifique avec ses cheveux «de jais» et sa robe à huit jupons.

Lui, beau comme un acteur de cinéma. Au loin, les champs de coton à perte de vue.

Dès qu'ils s'aperçoivent, à distance, parmi les dizaines d'invités éparpillés sur la pelouse, on sent qu'il va se passer quelque chose entre eux. On s'attend à des sourires, des mots doux, des tentatives de séduction. Pas du tout. Leur premier contact est catastrophique.

Sans le vouloir, Rhett surprend une conversation compromettante entre Scarlett et un jeune homme dont elle est secrètement amoureuse. Dans un élan de courage, Scarlett avoue ses sentiments au garçon, qui lui oppose un refus poli. Orgueilleuse comme un paon, elle ne peut supporter cet affront et se met à hurler, à le traiter de tous les noms.

Le jeune homme part, la laissant tremblante dans le bureau. Elle jette alors sur le mur, de toutes ses forces, un petit vase qu'elle a trouvé sur la cheminée. Rhett Butler sort de l'ombre. Il a tout entendu: les aveux, le refus, les cris, le verre fracassé. «Jamais Scarlett n'avait connu pareille stupéfaction et pareille terreur.»

Au moment précis où je lisais ces lignes, j'ai senti un poids sur mes épaules et sur mon cou. Le poids d'un regard. J'ai levé la tête.

17

Elle était là, debout, devant la classe, immobile, les yeux posés calmement sur moi.

La chevelure. C'est ce qui m'a d'abord frappée. Une espèce de tignasse incroyable, entre le blond platine et le roux flamboyant, qui se répand dans un désordre total jusqu'au bas du dos. Une chevelure comme une forêt tropicale, où l'on doit ouvrir son chemin à coups de machette. On imagine y enfouir ses doigts et perdre immédiatement leur trace dans l'abondance de mèches frisottées; on imagine des bouts de ruban, des barrettes, des peignes coincés quelque part dans les broussailles, oubliés à tout jamais. Des cheveux comme on rêve d'en avoir, qui vous donnent l'assurance du roi de la jungle devant une classe de trente-deux élèves prêts à vous dévorer.

C'est seulement après le choc de la crinière que je l'ai aperçue, elle, dans sa totalité. Jamais je n'avais vu un tel mélange de styles et de couleurs sur une même personne. Par où commencer? Par la chemise à carreaux brun et jaune orange, peut-être. Une chemise d'homme, immense, qui aurait pu passer inaperçue si elle n'avait pas été ouverte sur une camisole de satin fuchsia. Brun, jaune orange et fuchsia! Déjà, j'avais la chair de poule.

Quand j'ai baissé les yeux sur la jupe à volants — j'ai bien dit à volants! — où se retrouvaient à peu près toutes les teintes de l'arc-en-ciel, j'ai failli suffoquer. Moi qui ne m'aventure jamais en dehors du bleu marine et du vert bouteille, je ne pouvais pas croire que l'on puisse aller jusque-là.

Et ce n'était pas tout. Il y avait aussi les «accessoires»: une ceinture de cuir verni, un petit foulard noué autour du cou, quelques bracelets de plastique et, la cerise sur le gâteau si je puis dire, au bout de ses longues jambes, des espèces de bottillons anciens en suède rouge — j'ai bien dit rouge! — lacés jusqu'aux chevilles et montés sur des talons sculptés.

Le tout formait un mélange indéfinissable, une sorte de croisement entre la gitane, la hippie et la chanteuse western qui vous clouait sur place. J'étais clouée.

Son regard balayait les rangées une à une, sans broncher. Il n'y avait pas l'ombre d'un malaise sur son visage légèrement tacheté de rousseur.

Depuis quand était-elle entrée? Je n'en avais aucune idée. M. Tétreault avait quitté la classe, la porte était ouverte et on entendait un chuchotement dans le corridor.

— Qu'est-ce que c'est que ça? a marmonné Stéphanie Laplante avec tout le mépris dont elle est capable.

— C'est une vente de débarras! a déclaré JFK à côté de moi.

Toute la classe a pouffé.

JFK détenait, cette année-là, le record mondial de fautes d'orthographe pour un travail de trois pages et ne savait pas qui a découvert le Canada, mais il avait incontestablement le sens de la répartie.

— Une quoi? a demandé posément la fille aux cheveux de lion en avançant droit sur lui.

Le silence est tombé sur la classe telle une chape de plomb. JFK, écarlate, s'est enfoncé sur sa chaise tant qu'il a pu. Heureusement, sauvé par je ne sais quelle divinité, il n'a pas eu à répondre. Juste comme il ouvrait la bouche pour bafouiller, M. Tétreault est réapparu dans la classe accompagné de la directrice, Mme Foisy.

— Bonjour, tout le monde! Rassurez-vous, je ne vais pas vous déranger longtemps. Je veux simplement vous présenter… euh… attendez…

Posant sur son nez les petites lunettes dorées qui pendaient à son cou, elle s'est mise à scruter une grande feuille jaune.

— Dolorès, a dit la fille à la crinière. Dolorès Desnoyers.

Un léger frisson a couru dans les rangées. Dolorès! Le summum du quétaine. Mais personne n'a pouffé.

— Oui, c'est ça, a tout de suite enchaîné Mme Foisy. Dolorès vient d'emménager dans le quartier. Elle arrive de… attendez…

Re-lunettes, re-lecture sur la feuille jaune.

— La Guadeloupe, a coupé Dolorès.

— Oui, c'est ça, la Guadeloupe. Vous venez vraiment de loin. Qu'est-ce que vous faisiez là-bas, Dolorès?

— Mon père est dans les affaires.

— Quel genre d'affaires?

— Le commerce de… de noix de coco.

— Ah bon, a fait Mme Foisy sans insister. Dolorès va terminer l'année scolaire avec vous. Je vous demande de faire tout votre possible pour l'aider à s'intégrer. Bon, je vous laisse, Dolorès. Monsieur Tétreault va s'occuper de vous, n'est-ce pas, monsieur Tétreault?

— Euh… Oui, oui, certainement, a répondu le prof, en dessinant un demi-sourire sur son visage contrarié.

Puis Mme Foisy est partie et il s'est approché de Dolorès, qui le dépassait d'une bonne tête et demie.

— Bon, euh… Dolorès, on va essayer de…

— Vous pouvez m'appeler Do, a clamé Dolorès dans un immense sourire.

— Do? Euh… Bon. Comme tu voudras.

Il a agrippé une chaise libre et l'a plantée entre JFK et moi.

— Tiens, euh… Do… lorès, tu peux te mettre ici en attendant qu'on te trouve une place. Véronique va t'expliquer ce qu'on fait. D'accord, Véro?

— Je ne sais pas si… ai-je balbutié en me répandant sur mon pupitre pour cacher *Autant en emporte le vent*.

— Voyons, tu peux très bien l'aider.

Se tournant vers Dolorès, il a ajouté:

— Véronique a la meilleure note de la classe en mathématiques.

J'ai rougi jusqu'au nombril.

Elle s'est assise à côté de moi. Je me suis mise à chercher la page dans mon cahier d'exercices. J'avais le front cramoisi et les joues fuchsia, ce qui n'allait pas du tout avec mon chandail bleu marine.

— On fait des équations, ai-je murmuré.

Elle s'est approchée de mon oreille.

— Qui aimes-tu le mieux?

— Quoi?

— Scarlett O'Hara ou Rhett Butler?

Je l'ai regardée, estomaquée. Elle a souri.

C'est ainsi qu'elle a débarqué dans ma vie. Dolorès «appelez-moi Do» Desnoyers. Une sorte de princesse western, habillée comme une vente de débarras, qui avait le culot de Scarlett O'Hara et l'arrogance de Rhett Butler.

Les bas rayés

— Ah! Des coquetiers! Bleu et jaune, c'est parfait. Ils vont bien aller avec mon service à déjeuner. Viens que je t'embrasse.

Deux minables coquetiers en porcelaine. C'est tout ce que j'ai réussi à acheter avec l'argent qui me restait. La Cuisine en folie n'a évidemment pas voulu remplacer le saladier. J'ai eu beau expliquer: un accident, un anniversaire très important. Ils n'ont rien voulu entendre. Il était six heures moins dix, le magasin allait fermer. Je n'avais plus le temps de chercher. Je me suis rabattue sur des coquetiers. Ma mère en a déjà douze modèles différents, mais bon.

Elle me prend dans ses bras, me serre très fort.

— Merci, ma chouette!

Elle a l'air contente. Elle ne sait pas qu'elle est passée à côté d'une chose magnifique, importée d'Italie. Je ne lui ai pas raconté: la chute sur le trottoir, la fille de l'autre côté de la rue… Dolorès Desnoyers est un sujet tabou entre nous. Tous ceux qui me font de la peine sont ses ennemis jurés. Elle dit que ce n'est pas négociable.

— Hé, Véro, il me semble qu'il en manque un.

Ça, c'est Jean-Pierre.

— Quand je vais déjeuner avec vous, mon coquetier va être dépareillé!

Et ça, c'est son humour de petit pied.

N'empêche qu'il a raison, je n'ai pas pensé à lui. Deux coquetiers, ça me paraissait juste assez.

Un rire gêné court parmi les invités: Suzanne, Francine, Huguette, Rosemarie, Bernard, Louis. Ma mère continue de déballer avec frénésie. Des bols à café, une soupière, un roman en anglais, des chandelles en forme de fruits, une assiette à biscuits, une robe de nuit sexy, très jolie. Ça, c'est Jean-Pierre. Il n'est pas drôle du tout, mais il a du goût.

Ils boivent du vin mousseux au milieu des papiers chiffonnés. Ils parlent fort, ils rient. Ma mère a les joues rouges. Elle répète: «Quarante-cinq ans! Ça se peut-tu?»

D'habitude, j'aime assez discuter avec eux. Surtout avec Francine, qui travaille dans une agence d'artistes. Elle me raconte plein de potins sur les chanteurs, les actrices. Mais aujourd'hui, je me fous de leurs histoires. C'est la mienne qui m'intéresse. Mon propre petit roman personnel.

Est-ce que c'était Do, oui ou non? Je n'ai pas arrêté de me poser la question depuis hier. J'ai reconstitué la scène dix mille fois. J'ai passé en revue tous ses vêtements: la robe rouge, le chandail informe, les souliers plats, les bas rayés. Non, ce n'était pas elle. Do pouvait porter les trucs les plus inimaginables, mais des bas rayés, jamais. Elle trouvait ça hideux. «Ça découpe la jambe comme un saucisson.» Peut-être que ses goûts ont changé.

— Véro! Qu'est-ce que tu fais toute seule dans ton coin? Viens t'asseoir avec nous.

Je dis «oui, oui», mais je ne bouge pas. Je n'en ai pas envie. Je prends un magazine sur le divan, je le feuillette distraitement. Des hommes politiques en complet gris, une annonce de rouge à lèvres, une vedette de la télévision, une auto de luxe, de la crème glacée, un joueur de hockey, une chaîne de restaurants que je ne connais pas. Je fige.

Sur une pleine page, une petite brune en uniforme de serveuse fait un signe invitant.

Elle porte devinez quoi: une robe rouge, très courte, et une casquette assortie, des souliers plats et, non, je ne rêve pas, des bas rayés rouge et jaune! «Joséphine. Une nouvelle idée pour manger vite et bien. Douze adresses aux quatre coins de la ville.»

Je comprends tout! La fille que j'ai vue hier travaille probablement dans un de ces restaurants. Elle aura enfilé un long chandail par-dessus son costume pour aller se promener pendant sa pause. Ou pour rentrer chez elle. Est-ce que je sais? De toute façon, je peux la retrouver.

J'ai chaud. Mon coeur bat vite.

— Véro, viens, ça va être le temps du gâteau!

— J'arrive!

C'est fou, je le sais. Cela fait des mois que je n'y ai plus pensé. Et maintenant, à l'idée que je pourrais la revoir, tout remonte dans ma gorge. La peine que j'ai eue, mais aussi les fous rires, les surprises, mon malaise du début.

— Véro, qu'est-ce que tu fais?

— Oui, oui!

«Bonne fête, Madeleine, bonne fête, Madeleine…» Je chante avec les autres, je tiens la main de ma mère pendant qu'elle souffle les bougies. Cependant, ma tête est ailleurs. Avec JFK, devant la fontaine du parc, un après-midi de mai. Il y a deux ans et un mois.

Le *deal*

— Véro, il faut que tu dises oui. Si j'y vais, elle va me bouffer tout cru.

— Tu exagères, JFK. Tu n'es pas le petit chaperon rouge.

— Peut-être, mais elle, c'est le gros méchant loup. Je suis sûr qu'elle bouffe des gars de quinze ans avec ses céréales le matin.

Il parlait de Dolorès, bien entendu. Le drame était de taille: alors que JFK était absent du cours de français, le prof avait décrété qu'il ferait équipe avec elle pour le travail de fin d'année.

Toute la classe avait gloussé. De soulagement d'abord: on la fuyait tous comme une pestiférée depuis qu'elle était arrivée. Puis de plaisir: JFK avec Dolorès!

— Le couple de l'année! avait lancé Stéphanie Laplante. Elle va le manger à la petite cuiller!

Il avait rendez-vous chez elle, dans moins

d'une heure, et il voulait que je prenne sa place.

— Véro, s'il te plaît!

Je me mordais les lèvres pour ne pas rigoler.

— Franchement, JFK, pourquoi est-ce que je ferais ça pour toi?

— Parce qu'on se connaît depuis qu'on est petits. Parce que je suis un bon gars. Parce que tu tiens à ma vie!

— Je suis déjà dans une équipe. Je ne peux pas laisser tomber Amélie.

— Amélie, je m'en occupe. Elle est folle de moi.

Là, j'ai éclaté de rire.

Il s'est jeté à mes genoux et s'est mis à crier:

— Véro, je t'en supplie. Au nom de notre vieille amitié!

— Arrête, tout le monde nous regarde.

Mais il hurlait de plus belle.

— *Please*, Véro, *please, help me!*

Il s'est approché d'une femme qui marchait près de la fontaine.

— Madame, dites-lui qu'elle doit faire ça pour moi! C'est une question de vie ou de mort.

Il s'est mis à faire de grands gestes désespérés, à jouer les agonisants en se roulant

dans l'herbe mouillée. J'étais étouffée tellement je riais.

Il m'a baisé les pieds en implorant: «Aie
pitié d'un pauvre garçon innocent.» Je n'en
pouvais plus. J'ai flanché.

— O.K. Tu as gagné. Je vais y aller.

Il s'est jeté à mon cou, m'a embrassée fré-
nétiquement sur les joues.

— Merci, merci un million de fois!

C'est comme ça depuis toujours avec JFK.
Il n'a qu'à me faire rire pour obtenir tout ce
qu'il veut de moi.

— La prochaine fois que j'aurai un service
à te demander, tu es mieux de…

— Je ferai tout ce que tu voudras. Mais
dépêche-toi. Si tu arrives en retard, elle va se
changer en monstre gluant.

Elle habitait à l'extrémité du quartier, dans
une rue qui débouchait sur un terrain inoc-
cupé. Au dernier étage d'une maison un peu
débraillée. Je suis restée plusieurs minutes à
fixer la porte avant de sonner.

«Qu'est-ce qui m'a pris d'accepter? Je
n'ai aucune envie de travailler avec elle. Et
si je m'en allais? Je pourrais dire à JFK

qu'elle n'était pas là, ou bien qu'elle n'a pas voulu de moi. Je pourrais inventer n'importe quoi.»

J'allais tourner les talons pour descendre l'escalier quand la porte s'est ouverte. Elle est apparue dans l'embrasure: cheveux remontés en plumeau, grande blouse indienne tombant sur deux ou trois jupes superposées, souliers à talons hauts, boucles d'oreille clinquantes. J'ai avalé.

— Véro! Qu'est-ce que tu fais là?

— Euh… est-ce que j'ai sonné?

— Je ne pense pas. J'ai entendu un bruit.

— Ah bon…

Un long silence a suivi ce petit dialogue d'une totale absurdité.

— Je viens de la part de JFK, ai-je finalement marmonné.

— JFK?

— Pour le travail de français. Il m'a demandé de… Il ne voulait pas… euh… Il a pensé que ce serait mieux si on faisait équipe ensemble, toutes les deux. Je suis venue à sa place.

— O.K. Mais c'était demain.

— Quoi donc?

— Notre rendez-vous…

— Ah bon. Je reviendrai.

J'étais déjà à la troisième marche quand elle m'a agrippée.

— Puisque tu es là, tu peux rester.

En entrant, j'ai trébuché sur des bottes de cow-boy qui traînaient. Roses, ornées de décorations dorées. En les tassant du pied, j'ai vu qu'il y avait plein d'autres souliers, de tous les styles et de toutes les tailles, en tas, le long du couloir. Et aussi des dizaines de vêtements sur des vestiaires mobiles alignés au mur. Des robes, des blouses, des manteaux, avec des papiers épinglés à l'encolure. Et sur le divan du salon, aperçu en passant, une montagne de chapeaux.

— Comme ça, JFK a eu la trouille que je le découpe en petits morceaux, a dit Dolorès en ouvrant la porte du frigo.

— Euh… Non… C'est que…

— Et toi, tu n'as pas peur que je te change en crapaud?

Elle s'est approchée, m'a regardée droit dans les yeux. Pour la première fois, j'ai vu qu'elle était belle. Le regard d'abord, d'un gris profond cerclé de bleu, avec une petite flamme au milieu. Puis les pommettes saillantes et découpées, le nez droit, presque parfait, la bouche bien dessinée, quelques taches de rousseur, comme des flocons roses qui se seraient posés doucement sur ses joues et son nez. En gros plan, une fois éliminés les vêtements, les souliers, la coiffure en plumeau, elle était très belle.

— Tu ne réponds pas?

— Euh… Qu'est-ce que tu m'as demandé?

— Laisse faire. Veux-tu du jus de canneberge?

— O.K.

Il fallait choisir le roman sur lequel on allait travailler. Elle a dit: «Attends!» Elle a disparu dans une chambre au bout du couloir. J'ai examiné la pièce autour de moi. Une cuisine comme ma mère les déteste. Des armoires en similibois et du papier peint jaune moisson et brun caca. Une table en arborite et quatre chaises dépareillées. Pas de rideaux, pas de décorations, pas d'étagères remplies de jolis petits pots.

En me retournant, j'ai aperçu une porte. Je ne l'avais pas remarquée. Je l'ai entrouverte. La pièce était presque vide. Seulement un lit défait et, dans un coin, un accordéon sur une chaise de bois.

— C'est la chambre de mon père.

Dolorès était revenue avec une boîte de carton au bout de ses bras.

— Ah bon! ai-je dit stupidement.

Elle a versé sur la table le contenu de la caisse: des livres.

— Fais ton choix.

Il y avait les romans que presque toutes les filles avaient lus, mais ça ne s'arrêtait pas là. Je reconnaissais plein de titres que j'avais dévorés dans la dernière année: *Le comte de Monte-Cristo*, *Les misérables*, *Autant en emporte le vent*. Et beaucoup d'autres que je ne connaissais pas.

— Tu les as tous lus?

— Évidemment.

Elle m'a raconté comment elle avait dévoré *Les trois mousquetaires* d'un seul trait pendant six jours jusque tard dans la nuit, comment elle avait été surprise, et déçue, en relevant la tête, de voir les rues, les gens, le monde terne d'aujourd'hui. J'ai parlé de ma semaine passée au bord de la mer à lire *Les Hauts de Hurlevent* dans le bruit des vagues. On a dit, presque en même temps: le monde est tellement plus beau dans les romans! On a fait un voeu en se tenant par le petit doigt comme des enfants.

Pour le travail, on s'est entendues sur *Le comte de Monte-Cristo*. Ensuite, la conversation a glissé. J'ai osé demander:

— Comment c'était, la Guadeloupe?

— Ordinaire.

— Ah oui? J'imaginais un paradis avec la mer turquoise et les cocotiers.

— Écoute. Je vais te confier un secret. Je n'ai jamais mis les pieds dans les Antilles.

— Mais la Guadeloupe…

— Un petit village de la Beauce québécoise. Entre Saint-Éphrem et Saint-Évariste. Deux mille habitants. Pas un seul cocotier.

On a ri.

— À toi, maintenant.

— Quoi, moi?

— À ton tour de m'avouer un mensonge.

— Je… je ne comprends pas…

— Je te donne un mensonge, tu m'en donnes un. C'est le *deal*. J'aime que les choses soient égales.

Je sais ce que vous pensez. J'aurais dû l'envoyer promener avec sa conception douteuse de l'égalité. Mais il faut avoir été assis en face d'elle au moins une fois pour comprendre qu'on ne dit pas non si facilement à Dolorès Desnoyers.

— Allez, tu dois bien m'avoir raconté un mensonge depuis qu'on se connaît.

J'avais chaud. Je me creusais la tête, mais rien ne venait.

C'est à ce moment qu'il est arrivé. Du vestibule, il a crié: «Do, viens m'aider!» Elle a accouru. Il lui a mis dans les bras cinq ou six robes du soir en tulle rose et bleu d'un quétaine fini.

— Je vais chercher le reste.

J'observais la scène de la cuisine. Il est revenu avec des boas, des souliers de satin, des petits sacs de soirée en paillettes.

— Je suis tombé sur le gros lot aujourd'hui.

— Mais qui va acheter tout ça? a demandé Dolorès.

— Quand ils vont savoir qui les a portés, ils vont se précipiter, ne t'inquiète pas.

J'ai toussé un peu pour signaler ma présence. Il a levé les yeux.

— On a de la visite?

— C'est Véronique, une fille de ma classe. Véro, je te présente mon père.

Il est venu vers moi. Il portait un vieux veston sur une chemise hawaïenne et un jean défraîchi. Des bottes de cow-boy hyperpointues. J'ai reconnu les yeux gris-bleu, la bouche arrondie de Dolorès. Mais les cheveux étaient bruns et raides. Il parlait en tenant une cigarette entre ses lèvres et il souriait.

— Enchanté de te connaître, Véro.

Il m'a serré la main.

— Attends, je vais te faire un cadeau.

— Un cadeau?

— Mon père adore faire des cadeaux, a dit Dolorès.

Il a disparu dans le salon, est revenu avec un chapeau cloche en coton bleu.

— Tiens. Il a appartenu à…

Il a lu sur le papier épinglé à l'intérieur.

— … à Sylvie Dumouchel.

— Qui c'est?

— Une actrice de la télé. Tu ne la connais pas?

— Papa, laisse faire. Mon père vend des vêtements d'occasion. C'est sa nouvelle *business*.

— Attention, je ne vends pas n'importe quelles fripes. Je me spécialise dans les vêtements d'artistes. Il fallait y penser. C'est une idée géniale, tu ne penses pas, Véro?

— Euh… Oui, oui… Géniale.

— Ça va marcher à fond. Tu comprends, les gens seront prêts à payer le gros prix pour porter le linge de leurs vedettes préférées. Il me reste juste à trouver une boutique pour les écouler.

— Mais, papa, Sylvie Dumouchel n'est pas une vedette.

— Elle a passé à la télé, c'est tout ce qui compte.

— Mais si personne ne la connaît…

— De toute façon, si ça ne marche pas, il restera toujours…

— L'accordéon, je sais.

Ils ont ri. Do m'a expliqué que c'était l'argument ultime de son père: en cas d'échec, il pourrait toujours jouer de l'accordéon au coin des rues, avec Dolorès à ses côtés.

Il a mis le chapeau sur ma tête.

— Tu es magnifique. Do, regarde comme il lui va bien.

Ai-je besoin de préciser que je déteste les chapeaux? Même à trente degrés au-dessous de zéro, il faudrait m'attacher les mains avec de la broche pour me forcer à porter le moindre galurin. Il y a eu, certains matins d'hiver, des combats épiques entre ma mère et moi à ce sujet.

Normalement, je n'aurais pas supporté cette cloche sur mon crâne plus de dix secondes, mais le père de Dolorès me contemplait avec tant de plaisir et d'admiration, il répétait «magnifique» avec tant de conviction que je n'ai pas osé l'enlever. J'ai même cru, je l'avoue, que c'était vraiment joli. J'ai rougi.

Il a lancé en souriant: «Veux-tu manger avec nous?»

— Non, merci, euh… Il faut que je rentre.

Avant de partir, j'ai entraîné Do dans la cuisine.

— L'idée de ton père…

— Quelle idée?

— Celle des vêtements d'artistes.

— Oui?

— Je ne la trouve pas géniale du tout.

— Pourquoi me dis-tu ça?

— Pour le *deal*. Tu voulais un mensonge. Je te donne un mensonge.

On a ri. Je suis partie.

L'enquête

Planté devant une carte de la ville qu'il a clouée au mur, JFK entoure au stylo rouge l'emplacement des douze restaurants Joséphine. Puis, il pointe son crayon avec le plus grand sérieux sur l'intersection de La Cuisine en folie, comme un mauvais flic dans une mauvaise série policière.

J'ai mis une bonne semaine avant de lui parler de mon affaire. J'avais peur qu'il rie de moi. J'avais raison.

— Récapitulons, dit-il, d'une voix affectée. C'est ici que tu l'as vue, ou que tu as *cru* la voir. Or il y a trois restaurants Joséphine à moins d'une heure de marche de cet endroit. À mon avis, c'est par là qu'il faut commencer. Ensuite, si on ne trouve rien, on élargira le périmètre. D'accord?

— JFK, arrête de niaiser. Tout ce que je te demande, c'est de venir avec moi.

Je n'ai pas trop envie de rire. Ça le débine.

— Sans farce, Véro, je ne comprends pas pourquoi tu veux absolument la retrouver.

— Je... Ce serait trop long à expliquer. Veux-tu m'aider, oui ou non?

— Oui, je veux t'aider.

— Alors, viens.

Devant le miroir, il se compose un look de détective miteux: cheveux lissés, lunettes noires affreuses, mine décontractée.

— Allons-y, murmure-t-il sur un ton mystérieux.

Il chantonne une petite musique de suspense. Je ris. Il est comme ça, JFK. Imbattable pour mettre le doigt sur le ridicule d'une situation. Mais il est prêt à me suivre dans n'importe quel délire. Heureusement qu'il est là.

Au troisième Joséphine, le gars au comptoir, un grand boutonneux, l'air pas trop vite sur ses patins, nous confie:

— Une fille au crâne rasé? Oui, mais elle ne travaille plus ici. Elle est restée seulement une semaine.

— Elle ne s'appelait pas Dolorès, par hasard? demande JFK, qui continue à jouer dans son film de série B.

— Dolorès, euh... je ne sais pas.

Le gars crie en direction de la cuisine.

— Hé, Miloud, comment elle s'appelait, la fille bizarre qui a travaillé ici la semaine passée?

Je dis: «Bizarre? Comment ça, bizarre?»

Miloud apparaît dans la porte.

— La fille pas de cheveux? Dominique, il me semble.

— Pas Dolorès? insiste JFK.

— Dolorès, non, je ne crois pas, répond Miloud en retournant à ses hot-dogs.

Je redis: «Comment ça, bizarre?»

Le grand boutonneux bafouille.

— Euh… Elle ne parlait pas beaucoup et elle se cachait pour lire entre deux commandes. Moi, je trouve ça bizarre.

— Qu'est-ce qu'elle lisait?

— Euh… des livres.

J'entraîne JFK à l'écart.

— C'est elle.

— Oui, Véro, c'est évident. Il y a une seule fille au crâne rasé qui aime la lecture dans toute la ville!

— C'est elle, je te dis.

— Admettons. Mais on n'est pas plus avancés.

— Si elle a travaillé ici, elle a bien dû remplir un formulaire, elle doit avoir une fiche. Il faudrait pouvoir fouiller…

— Laisse-moi faire.

C'est dans des moments comme ceux-là que le talent de JFK prend toute sa dimension. En moins de deux, il quitte son personnage de détective bouffon pour entrer dans la peau d'un garçon désemparé à la recherche de sa cousine disparue. Il s'approche du grand boutonneux, l'air désolé, et se met à lui raconter une histoire abracadabrante.

Il est question de la promesse solennelle qu'il aurait faite, lui, JFK, à sa tante éplorée, de retrouver sa cousine coûte que coûte. Je me mords les lèvres pour ne pas pouffer. Il n'y a que JFK pour réussir à émouvoir un grand boutonneux avec une invention pareille.

Quand il sent son auditeur aussi mûr qu'un petit fruit d'été, il le cueille en douceur.

— Plusieurs indices me portent à croire que c'est elle qui a travaillé ici, la semaine dernière. Il me faut absolument son adresse.

— C'est parce que… C'est le gérant qui a ces renseignements-là. Il n'est pas ici aujourd'hui. Je… je n'ai pas le droit de fouiller dans ses papiers. Et, de toute manière, c'est confidentiel, l'adresse des employés.

— Comment tu t'appelles? demande JFK avec une soudaine fermeté.

— Euh… Stéphane.

46

— Écoute-moi, Stéphane. C'est ma cousine et je dois la ramener. J'ai promis, tu comprends? dit JFK avec la voix cassée de celui qui ne peut plus contenir son émotion.

— Bon, O.K., laisse tomber Stéphane dans un long soupir.

Il prend un trousseau de clés accroché au mur. Il est tout rouge. Des petites gouttes de sueur glissent sur son acné. Il déverrouille un tiroir au bout du comptoir, en sort une pile de feuilles, les jette dans les mains de JFK.

— Dépêche-toi.

Je me précipite sur le tas de papiers. Le formulaire le plus récent date d'une quinzaine de jours. Écrit au stylo bleu, en lettres majuscules. DOMINIQUE DESROSIERS. 2368, rue DESBAILLETS. Pas de numéro de téléphone.

Je pousse JFK: «Viens, on s'en va.»

Je marche à toute vitesse. JFK essaie de m'arrêter.

— Mais, Véro, elle s'appelle Dominique Desrosiers, pas Dolorès Desnoyers.

— Elle a les mêmes initiales et elle se cachait pour lire entre deux commandes. C'est sûrement elle.

— Et pourquoi se serait-elle inscrite sous un faux nom? Elle est dans la maffia ou quoi?

— Je ne sais pas. En tout cas, je suis certaine que c'est elle.

— Admettons. Mais je ne vois pas pourquoi tu voudrais la retrouver, sachant qu'elle est encore plus folle qu'avant.

— Je te défends de dire ça!

JFK s'arrête net, paralysé. Je me rends compte que j'ai crié. C'est idiot. Je ne me suis jamais fâchée contre JFK. Il tourne les talons et s'éloigne.

— Attends! Je… Je m'excuse.

Il revient.

— Véro, qu'est-ce que tu as?

J'essaie de faire une grimace comique. C'est raté. Je trouve le culot de demander:

— Tu viens avec moi?

— Où ça?

— Au 2368, rue Desbaillets.

Il hésite, puis il sourit.

— Si tu veux.

Il est gentil, JFK.

On marche en silence vers le métro. J'essaie de mettre de l'ordre dans les images qui se superposent dans ma tête: une fille aux longs cheveux habillée comme une gitane, une fille au crâne rasé qui disparaît dans la foule. Une fille aux longs cheveux qui me fixe droit dans les yeux. Une fille au crâne rasé qui dévore un roman entre deux commandes de hamburgers. Une fille aux longs cheveux, un après-midi de juin, qui me tire par le bras en répétant: «Allez, Véro, on le fait!»

Le défi

— Allez, on le fait!

Do me tirait par les bras. Je résistais.

— Pas question.

— Allez, Véro, ça va être drôle.

— Jamais!

Vous pensez sans doute qu'elle voulait me faire prendre quelque substance défendue ou m'entraîner dans je ne sais quelle débauche. Vous vous trompez. C'était bien pire. Elle voulait que je... Elle voulait qu'on...

Mais il faut que je vous raconte depuis le début.

Cinq semaines environ s'étaient écoulées depuis que j'étais allée chez elle la première fois. On s'était revues quelques jours après, pour *Le comte de Monte-Cristo*, puis de plus en plus fréquemment, pour étudier, pour jaser, pour flâner.

À mon grand étonnement, je me sentais

bien, chez elle, au milieu de son désordre, avec son père qui me traitait en princesse. Ils étaient si différents. C'était comme être ailleurs. Sur une île lointaine, exotique. La Guadeloupe…

Souvent, on mangeait ensemble tous les trois. Le père de Do faisait des spaghettis, il mettait un disque italien sirupeux, il chantait à tue-tête en préparant sa «sauce spéciale Desnoyers», qui consistait à mettre dans un grand chaudron à peu près tout ce qui traînait dans le frigo et à noyer le tout dans un coulis de tomates improvisé.

— Irrrrrésistible, tou vas voir, disait-il en imitant l'accent italien.

Do et son père avaient toujours un jeu à proposer pendant le repas: nommer les dix choses que l'on déteste le plus au monde, raconter le rêve le plus bizarre que l'on ait jamais fait, essayer de deviner les pensées de l'autre en l'observant attentivement, manger les yeux fermés, écouter tous les petits bruits, imaginer avec précision ce que sera notre vie dans cinq ans, dans dix ans, dans vingt-cinq ans.

Au début, quand c'était à mon tour de parler, je paniquais. J'avais peur de dire des bêtises. Mais ils avaient une façon de vous en-

traîner, aussi irrrrrésistible que la «sauce spéciale Desnoyers».

À l'école, tout le monde était soufflé devant notre nouvelle amitié. «Do et Véro, la
rencontre du siècle», avait décrété Stéphanie
Laplante. Quant à JFK, je ne vous raconte
pas toutes les blagues qu'il a pu faire à propos de ma soudaine «conversion» à la soi-
disant religion Dolorès.

Je sentais les regards amusés sur nous, et
cela me pesait. Quand on était seules toutes
les deux, j'arrivais à faire abstraction de son
accoutrement, mais devant les autres c'était
différent. Alors je m'efforçais de garder mes
distances sur le territoire de l'école. Je trouvais plein d'excuses pour m'éloigner d'elle
dans la classe, dans la cour. Je croyais que Do
ne se rendait pas trop compte de mon manège.
Je ne la connaissais pas encore tout à fait.

Donc, on se voyait beaucoup, toujours
chez elle. Cet après-midi de juin, il faisait
beau. On buvait du jus de canneberge sur le

balcon en faisant des commentaires cinglants sur les passants. On détaillait leurs vêtements, leur démarche, leurs cheveux. On leur inventait un nom, une occupation. On riait. Tout à coup, elle s'est tournée vers moi.

— Qu'est-ce que tu dirais à mon sujet, si tu me voyais passer?

— Quoi?

J'étais estomaquée.

— Imagine que tu me voies pour la première fois. Qu'est-ce que tu penses de mon linge, de mes souliers, de mon style?

C'était le genre de questions que posait Dolorès. Subtiles et directes comme un coup de poing au visage.

— Je ne sais pas... je...

— O.K. On joue à se regarder et on fait nos commentaires.

Je n'ai pas eu le temps de protester. Elle a attaqué.

— Bon! Tu arrives, je te vois. Je dis... euh... joli visage mais cheveux ordinaires, chandail ordinaire, pantalon et souliers ordinaires, allure générale complètement ordinaire, rien à signaler sinon les affreuses lunettes de mémé.

C'était comme si elle m'avait lancé un seau d'eau froide au visage. J'ai d'abord été

saisie, figée par ces paroles glacées qui dé-
goulinaient sur moi. Comment osait-elle
décrire mon allure avec un tel mépris, elle,
la fille la plus mal accoutrée de la planète?
Et puis, s'en prendre à mes lunettes, c'était
vraiment trop bas. Je n'en revenais pas.

— À toi, a-t-elle dit, sans remarquer la fu-
reur qui s'était emparée de moi. Vas-y.

J'ai éclaté.

— O.K., si tu y tiens. Si je t'apercevais
pour la première fois, je dirais: jupe affreuse,
blouse affreuse, souliers greluche, cheveux
inimaginables, allure générale de sapin de
Noël. Attention… reine du mauvais goût à
l'horizon!

Je me suis tue. Elle ne souriait plus. Je
n'avais jamais rien dit d'aussi méchant à
qui que ce soit. J'aurais voulu reprendre mes
mots, les ravaler goutte à goutte, mais c'était
trop tard. Ils avaient giclé d'un seul coup et
l'avaient éclaboussée de la tête aux pieds.

— Bon. On est égales. J'aime que les
choses soient égales.

— Do, je ne voulais pas. C'est toi qui as
insisté pour jouer.

— Oui, tu as raison, c'était mon idée. Je
tenais à ce que tu le dises.

— Que je dise quoi?

— Tout le mal que tu penses de mes habits, de mes cheveux, de mon allure.

— Tu le savais?

— Il faudrait avoir les yeux arrachés pour ne pas voir ton malaise à l'école dès que je suis à moins de deux mètres de toi.

— Tu… Tu as fait exprès de me provoquer?

— Oui et non. Mettons que j'ai improvisé.

— Et pour mes lunettes, tu le pensais vraiment?

— Absolument.

On s'est arrêtées de parler. Pendant de longues minutes, on a regardé droit devant nous, sans remuer le petit doigt. Elle a fini par dire:

— Bon, O.K. Maintenant, on le sait. Tu n'aimes pas mon linge, je n'aime pas tes lunettes. Je trouve ton style trop ordinaire, tu trouves le mien trop voyant. Et après, qu'est-ce que ça change?

— Euh…

Elle s'est alors lancée dans une grande théorie sur le fait qu'on peut aimer quelqu'un tout en ayant horreur de sa chemise ou de ses lunettes. Je n'écoutais qu'à moitié. Je la voyais s'animer. Ses yeux pétillaient. À tout moment, elle répétait «Tu comprends?» Je répondais «Oui, oui…», même si je ne suivais pas vraiment.

Ensuite, elle a parlé de son père et j'ai dressé l'oreille. Elle a dit qu'il lui avait appris à faire ce qu'elle voulait en se foutant de l'opinion des autres. Elle a dit qu'elle l'avait vu dans les accoutrements les plus fous, qu'on le pointait du doigt dans la rue, mais qu'il s'en fichait. Et elle, petite fille à ses côtés, elle n'a jamais eu honte de lui. Jamais. Avoir honte de ceux qu'on aime, c'est la pire chose au monde. C'est ce que lui a toujours dit son père. J'ai rougi.

— Les vêtements, a-t-elle conclu, ça n'a pas d'importance. On peut en faire ce qu'on veut. Tu ne penses pas?

— Euh… Oui, oui. Tu as sûrement raison.

— Je pourrais m'habiller autrement et toi aussi, qu'est-ce que ça changerait à nos conversations?

— Euh… Rien, je suppose. Mais…

— J'ai une idée!

— Encore!

— Ce soir, pour aller au spectacle à l'école, on échange nos vêtements. Tu t'habilles comme moi et moi comme toi. O.K.?

— Hein?

— Allez, Véro, on le fait!

— Pas question!

Elle s'est mise à me tirer par les bras. Je résistais.

— Allez, Véro, ça va être drôle.

— Jamais!

Elle m'aurait demandé de sauter en bungee que je n'aurais pas paniqué davantage. Me présenter devant toute l'école affublée des vêtements criards de Dolorès. Supporter les regards, les sarcasmes. Non, pensais-je. Amenez-moi plutôt sur la petite plate-forme à cent mètres au-dessus du vide et attachez l'élastique à mon pied. J'aime mieux sauter.

Mais, bien sûr, elle insistait.

— De quoi as-tu peur?

— Je... je n'ai pas peur. Je n'ai pas envie, c'est tout.

— Mensonge. Tu as peur d'avoir honte.

— Non, non, je te le jure.

— Alors, viens.

Elle m'a entraînée jusqu'à sa chambre. Elle a ouvert le placard, en a sorti des tonnes de blouses, de jupes, des accessoires, des souliers.

— Choisis.

J'étais piégée. Comment pouvais-je refuser sans avouer que je ne croyais pas un mot de tout ce qu'elle m'avait raconté au sujet de l'apparence qui ne compte pas?

J'ai donc commencé à fouiller dans ses affaires, du bout des doigts. J'ai mis la main sur ce qui me semblait le plus sobre dans tout ce fatras de couleurs et de clinquant. Une jupe rayée, une blouse bleue avec des étoiles jaunes à l'encolure, des bottillons rouges (dur!), des boucles d'oreille pas trop longues avec de petites pierres bleues (assez jolies, finalement). J'ai enlevé mes vêtements, les ai placés en tas dans les bras de Dolorès.

— Je suis prête, ai-je dit gravement, comme s'il s'agissait de marcher dans le couloir de la mort.

— Je vais me changer dans la salle de bain. On va se faire une surprise.

Elle est partie, me laissant seule au milieu de sa caverne d'Ali Baba. Je me suis mise à m'habiller lentement en regardant mon image se transformer dans le miroir. Bizarrement, cela me plaisait de ne plus me reconnaître tout à fait. Alors, j'en ai ajouté. J'ai mis une petite veste, un foulard, une ceinture, puis j'ai attaché mes cheveux en plumeau et j'ai appliqué un peu de rose sur mes joues.

Quand elle a frappé, j'étais paralysée devant mon reflet.

— Entre.

Elle est apparue dans mon jean et mon tee-shirt bleu, mes souliers plats, les cheveux sagement retenus par une barrette.

On s'est examinées longtemps, pétrifiées.

— Tu es magnifique, a-t-elle fini par dire.

— Toi aussi.

On a souri.

— Et comment te sens-tu? a-t-elle demandé.

— Déguisée. Et toi?

— Toute nue.

On a ri aux éclats.

En approchant de l'école, ce soir-là, j'ai voulu rebrousser chemin. Bien entendu, elle m'en a empêché.

Jamais je n'oublierai notre entrée dans la grande salle. Le silence immédiat, suivi d'un murmure de stupéfaction. On a marché lentement jusqu'au premier rang. On s'est assises. Mon coeur oscillait entre la panique et la fierté. Je ne pouvais pas croire que j'étais en train de faire ça.

Puis, le moment que je redoutais le plus est arrivé. La confrontation avec JFK. Je m'attendais à tous les sarcasmes. Eh non! Il a seulement bafouillé:

— Véro! Tu es… je ne sais pas… Tu es… Wow! Tu es…

Il n'a jamais fini sa phrase. Mais j'ai bien vu dans ses yeux qu'il était impressionné. Par mon allure ou par mon culot, je ne sais pas. En tout cas, il n'a pas ri. La soirée s'est poursuivie et j'ai oublié ce que je portais. Je m'en fichais complètement.

Quand je suis rentrée chez moi, ma mère a paniqué. «Véro! Mon Dieu, qu'est-ce qui t'est arrivé?» J'ai essayé de lui expliquer: le défi que m'a lancé Dolorès, la fierté d'avoir osé. Elle n'écoutait pas vraiment. «Enfin, Véro, je ne te reconnais pas. Ce n'est pas toi, ça.»

Elle avait raison. Quelque chose avait changé en moi, mais ce n'était pas ce qu'elle croyait. Je n'allais pas me mettre à porter du linge de romanichelle. Pourtant, je n'étais pas tout à fait la même. Comme ceux qui sautent en bungee, j'imagine. Après, ils continuent leur vie, mine de rien, mais ils savent qu'ils ont sauté.

Le divan saumon

«À LOUER»

L'affiche rouge et noire est fixée de travers sur la porte du 2368, rue Desbaillets. Un rez-de-chaussée minable dans un quartier désolé.

JFK s'approche de la fenêtre qui donne sur le trottoir.

— Viens, Véro.

Je colle mon nez sur la vitre sale. Je vois une grande pièce vide. En plein centre, comme une baleine échouée sur la grève, un vieux divan rose saumon.

Pendant de longues minutes, je regarde les murs défraîchis, le plancher recouvert d'un prélart hideux. Et cette espèce de gros poisson qui gît au milieu. J'ai chaud. Mon coeur bat vite.

— Tu vois, s'impatiente JFK. Il n'y a personne ici. C'est juste un logement à louer. Viens!

Il me tire par le bras. Je ne bouge pas.

— Allez, on s'en va.

— Ils ont habité ici, dis-je faiblement.

— Qui ça?

— Do et son père.

— Hein? Comment peux-tu le savoir?

— Le divan…

— Tu reconnais le divan, c'est ça? C'est le même qu'il y avait chez eux?

— Non. Ce n'est pas le même.

— Quoi? Je ne comprends pas.

Je ne peux pas lui expliquer. J'ai trop peur de pleurer. Je lui tourne le dos pour essuyer rapidement mes yeux.

— Véro, est-ce que ça va?

— Oui, oui.

— Alors, viens. Je te paie un coke, si tu veux.

— Il faut téléphoner.

— Téléphoner? À qui?

— Au propriétaire.

— Véro, tu exagères.

Je prends en note le numéro inscrit sur l'affiche «À LOUER». Je tends le papier à JFK avec un sourire.

— Ah bon! En plus, c'est moi qui dois appeler!

— Je suis trop gênée. Je vais bafouiller.

— Mais, Véro…

— Je t'en prie.

On est serrés tous les deux dans la cabine. Je colle mon oreille sur le récepteur. Au bout du fil, une voix d'homme, impatiente et désagréable. JFK se lance.

— Oui, euh… c'est pour l'appartement à louer sur la rue Desbaillets.

— Un quatre et demi, non chauffé, quatre cent quatre-vingt-dix dollars par mois, fait la voix grincheuse. Ça vous intéresse?

— Non, non, je ne veux pas le louer, je… je voudrais des renseignements sur le dernier locataire.

La voix devient carrément agressive.

— Vous le connaissez?

— Euh… peut-être.

— Ah bon? C'est votre genre de fréquentations, ça? Un menteur et un voleur qui vide l'appartement en pleine nuit et part sans me payer son loyer. Qui me laisse en plus son vieux divan décrépit. Vous ne le voulez pas, tiens, un vieux divan rose saumon?

— Euh… non merci. Mais je voudrais savoir…

— Qu'est-ce que vous voulez savoir? Combien d'argent il me doit? Mille quatre cent soixante-dix dollars, exactement. Est-ce que c'est assez pour vous? Je ne suis pas millionnaire, moi. Je ne peux pas héberger gratuitement tous les rêveurs de la ville. Un professeur de danse tropicale, est-ce que c'est sérieux? Je n'aurais jamais dû lui louer le logement. Mais il m'a emberlificoté avec sa tête de bon gars et sa fille qui avait l'air d'un ange.

Il soupire bruyamment.

— Il y a dix jours, quand je l'ai appelé pour réclamer mon argent, il m'a dit qu'il allait participer à une compétition de salsa, qu'il y avait gros à gagner. Et moi, j'ai accepté d'attendre! Je suis trop naïf, c'est ça, mon problème. Ma femme n'arrête pas de me le répéter…

Je fais de grands signes à JFK pour qu'il pose enfin LA question. Il hausse les épaules, l'air de dire: «Si tu crois que c'est facile.» Mais il attaque tout de même.

— Est-ce qu'il s'appelait Desnoyers?

— Desnoyers? Plutôt Deslauriers, il me semble. Mais je ne sais pas. Je n'ai pas le bail sous la main. En tout cas, si c'est un de vos amis, dites-lui que…

— Et sa fille? avance JFK.

— Quoi, sa fille?

— Est-ce qu'elle s'appelait Dolorès?

— Je n'en ai aucune idée, et je m'en fous carrément. Maintenant, ça suffit! Je n'ai pas

de temps à perdre. J'ai un divan rose à déménager!

Je prends l'appareil des mains de JFK.

— Attendez! Est-ce que vous savez où il
enseigne la danse tropicale?

Un moment de silence, puis la tonalité. Il
a raccroché.

Assis sur les marches du dépanneur, on si-
rote notre Coke avec application.

«Un voleur et un menteur qui part sans
payer son loyer... Un voleur et un menteur...» La phrase défile en boucle dans ma
tête.

— Bon, récapitulons, dit JFK, qui reprend
sans trop d'entrain son personnage d'enquê-
teur. Il y a une semaine, tu as aperçu, de loin,
une fille au crâne rasé et tu as cru reconnaître
ton amie Dolorès. Or, la dernière fois que tu
l'as vue, Do avait les cheveux qui lui descen-
daient jusqu'aux reins. On est d'accord?

— Oui, mais...

— Laisse-moi continuer. On suit une piste
mince comme une feuille de papier, une robe
rouge et des bas rayés qui nous conduisent
dans un restaurant Joséphine. Là, on nous

parle d'une ex-employée qui s'appelait Desrosiers — pas Desnoyers —, mais tu es quand même persuadée que c'est elle. Ensuite, tu vois dans un salon vide un divan rose saumon que tu ne reconnais pas du tout, et tu en conclus qu'elle a habité là.

— C'est vrai que ça peut sembler…

— Attends. Je n'ai pas fini. Le propriétaire nous parle d'un dénommé Deslauriers qui donne des cours de danse tropicale. Et quand je te demande ce que faisait le père de Do dans la vie, tu me réponds qu'il vendait des vêtements d'occasion. Malgré tout, tu es absolument sûre que c'est de lui qu'il s'agit.

— Il ne donnait pas de cours de danse, c'est vrai. Mais il aurait pu…

— Comment ça, il aurait pu?

— Il pouvait faire n'importe quoi, le père de Do. Et puis c'est un danseur-né.

— Véro, franchement…

Tout ce que je dis sonne faux. Je ne trouve pas les mots. Il a raison, il n'y a pas de preuve tangible. Ce n'est pas le même nom, pas le même divan, pas le même métier. Pourtant, je sais qu'il s'agit d'eux. Je le sais depuis que j'ai collé mon nez sur la fenêtre du salon. Depuis que j'ai senti la chaleur dans mes joues, les palpitations, la peine qui monte aux yeux… Comment expliquer ça à JFK?

«Un voleur et un menteur…» La petite phrase resurgit, qui me pince et me brûle.

JFK me regarde dans les yeux.

— Véro, laisse tomber.

Je souris faiblement.

Je dis: «Tu as peut-être raison.» Mais je n'en pense pas un mot.

Le serment
sur le pont Jacques-Cartier

Juillet était arrivé. Avec lui, la chaleur, les vacances, la liberté. Je passais toutes mes journées, mes soirées et un grand nombre de mes nuits chez Dolorès. Ma mère était paniquée. «Enfin, Véro, je ne te vois plus. Qu'est-ce que tu fais avec cette fille? Emmène-la ici, au moins.» Je disais: «Oui, oui, je vais l'inviter demain.» Mais je n'en faisais rien. Elles s'étaient vues quelques fois toutes les deux. Ma mère n'avait rien dit, mais j'avais tout de suite senti ses réticences sur l'allure de Do et sur son style de vie.

Je n'avais aucune envie d'entendre ça. Tout comme je ne veux pas qu'on me gâche mon plaisir au milieu d'un roman en me disant que c'est une histoire invraisemblable. Si quelqu'un se met ainsi à critiquer ce que je lis, je bouche mes oreilles et je continue. C'est ce que j'ai fait, cet été-là. Avec ma mère, mes amis, avec JFK. J'ai mis mes mains sur mes oreilles et j'ai continué à avancer dans ce drôle de roman qui se passait sur une île au milieu de la ville.

Nos journées commençaient vers midi. On mangeait paresseusement sur le balcon, puis on se mettait en action. Pendant quelques heures, on nettoyait, réparait, repassait les vêtements que son père rapportait de ses tournées chez les «artistes». Il nous payait pour ce petit travail. Enfin, il disait qu'il allait nous payer. Un salaire pas si mal pour deux filles qui n'avaient jamais gagné un sou. On était ravies. Ce n'était pas trop dur, et on pouvait jaser tout en travaillant.

On discutait de tout et de rien, de romans, de films, de gars. On se déguisait, on inventait une histoire à chaque vêtement. On riait énormément. Souvent, on jouait au roman. Un jeu qu'on avait inventé toutes les deux. L'une donnait une phrase de départ, du genre «Cette nuit-là, Mathilde n'arrivait pas à dormir», et l'autre devait enchaîner. Par exemple: «Les mots que lui avait dits Pierre tournaient dans sa tête.» Et on improvisait ainsi, de l'une à l'autre, un début de roman. C'était, de loin, notre activité préférée.

Un de ces après-midi, il faisait une chaleur écrasante. Trente-quatre degrés à l'ombre, cent pour cent d'humidité. On était assises au milieu des piles de vêtements. Incapables de bouger. On buvait de la limonade maison avec des tonnes de glaçons. J'ai commencé:

— Ce matin-là, Fabienne attendait son père devant la porte de la maison.

Au lieu d'enchaîner, Do a demandé:

— Où est-ce qu'il est, ton père?

J'ai sursauté. Depuis que je la connaissais, elle n'avait jamais posé de questions sur ma famille. Moi non plus, d'ailleurs, je ne l'avais pas interrogée à ce sujet. Spontanément, j'ai répondu:

— Il est parti dans la brume.

Cette phrase, je l'ai entendue des dizaines de fois, dans la bouche de mes tantes, de mes oncles, quelquefois de ma mère, les soirs de fête, quand elle avait bu du vin: «Ton père, ma fille, il est parti dans la brume.» Quand j'étais petite, je l'imaginais disparaître dans une épaisse fumée, près d'un lac, s'engouffrer dans la forêt.

— Depuis quand? a insisté Do.

— J'avais six ans.

— Est-ce que tu rêves à lui, des fois?

— Euh… Je… Non. Oui. Je ne sais pas.

Elle me sciait avec ses questions.

— On fait un échange. Tu me racontes une chose que tu n'as jamais dite à personne à propos de ton père, je te confie un secret à propos de ma mère. *Deal*?

Les *deals* de Dolorès! Je ne m'y habituais pas tout à fait.

Elle s'est mise à réfléchir. De mon côté, j'essayais de trouver ce que j'allais dire. Mon père, je ne l'ai pas connu. Il est parti et on ne l'a plus revu. Je n'en parle jamais. Je me concentrais, mais aucun secret ne venait, sinon cette image d'un homme qui disparaît dans le brouillard, au petit matin. Je n'allais tout de même pas raconter ça. C'était trop idiot.

J'étais absorbée par mes réflexions quand elle a murmuré:

— J'avais exactement quatre heures et demie quand ma mère est morte d'une hémorragie. Je ne l'ai jamais vue, je ne l'ai jamais touchée. Mais des fois, la nuit, je m'ennuie d'elle.

Elle était toute rouge et suait à grosses gouttes. Je ne savais pas si c'était l'émotion ou la canicule. Elle a poursuivi:

— Tu dois penser: on ne peut pas s'ennuyer de quelqu'un qu'on n'a pas connu. Ce n'est pas logique. Moi, je pense que ça se peut. C'est comme les gens qui se font couper une main. Il paraît que, pendant long-temps, ils ont mal à la main disparue. Ils frottent et ils grattent le petit bout de vide au bout de leur bras. Des fois, la nuit, quand je m'ennuie d'elle, je prends un peu de vide dans mes bras et je lui parle tout bas.

Elle s'est tue. Les yeux baissés, elle s'épongeait le front avec un foulard de coton. Je ne l'avais jamais vue ainsi. Triste et fragile. Je l'imaginais, dans son lit, agitant ses bras dans l'air, murmurant je ne sais quoi à sa mère disparue. J'étais renversée.

— Do, je… je ne savais pas que… je suis désolée.

Elle a relevé la tête, a essuyé rapidement ses yeux, esquissé un semblant de sourire.

— À toi, maintenant.

Elle ne perdait pas le nord, Dolorès. Pas moyen d'échapper aux règles du jeu.

— Bon, mais je te préviens, c'est ridicule.

— Vas-y.

J'ai voulu parler de l'image de la brume où mon père disparaissait. Au lieu de cela, j'ai balbutié :

— Mon père, je… J'aimerais ça le voir surgir du brouillard. J'aimerais me cacher quelque part et le regarder sortir lentement de la fumée. Seulement le regarder.

Dans le silence qui a suivi, j'entendais l'écho de mes paroles. Je n'en revenais pas. Jamais je n'avais avoué une telle chose à qui que ce soit. Pas même à moi. Qu'est-ce qui s'était passé? D'où était sortie cette confidence? Est-ce que je l'avais inventée? Mon coeur battait.

Do a levé son verre de limonade:

— À nos secrets!

J'ai bu en vitesse et je me suis levée.

— Excuse-moi. Il faut que j'aille faire pipi.

Dans la salle de bain, j'ai aspergé mon visage avec de l'eau froide. J'étais pâle. Qu'est-ce que j'avais?

J'ai dû rester longtemps. Du salon, Do a crié:

— Véro, qu'est-ce que tu fais?

Je suis revenue. On a changé de sujet.

Ce soir-là, il faisait toujours aussi chaud. On n'avait pas le courage de préparer le souper. Le père de Do a lancé: «J'ai une idée. On fait un pique-nique sur le toit!»

— Papa, c'est trop compliqué. Il n'y a même pas d'escalier.

— Tu sauras, ma fille, qu'il n'y a rien de trop compliqué pour Dan Desnoyers.

Il y avait une trappe dans le plafond de la cuisine, mais on n'avait pas d'escabeau pour y accéder. On a dû construire un échafaudage avec la table et quelques chaises. Dolorès pestait.

— On va se casser la gueule.

— Arrête de bougonner. Tout à l'heure, tu vas me remercier.

Le père de Do s'est installé en haut de la pyramide improvisée. On lui a tout passé: la petite table à café, le poêle hibachi, la vaisselle, le pain, la moutarde, le steak haché, les briquettes, les boissons. Et encore le magnétophone, les cassettes et l'accordéon. Puis, on a monté.

Il avait raison, cela valait la peine d'y aller. C'était magique, là-haut. Le jour se couchait lentement. Le ciel était rouge et doré. Il y avait, de temps en temps, un léger, très léger souffle de vent qui était presque rafraîchissant. À nos pieds, le quartier paraissait figé dans la chaleur et l'humidité.

On a mangé nos hamburgers assis par terre, les jambes allongées sous la table à café. Le père de Do a raconté des souvenirs de son enfance, quand il habitait dans un village de l'Abitibi. Des histoires de face-à-face avec des ours et de presque noyade dans les rapides de la rivière Harricana. On n'était pas sûres que tout était absolument vrai, mais on s'en foutait. Il décrivait tellement bien, avec des surprises, de l'humour, des moments d'intensité. On était fascinées. Tout doucement, pendant qu'on rêvait au petit garçon abitibien, la nuit était tombée.

Le père de Do a décrété: «C'est l'heure de danser.» Il a fait jouer de la musique latino-américaine très rythmée.

— Venez, les filles!

— Danser là-dessus? ai-je protesté. On ne sait pas comment.

— Je vais vous apprendre.

— Papa, a dit Dolorès, tu ne le sais pas plus que nous.

— Ce n'est pas si compliqué. Il suffit de se laisser aller. Venez.

Il se débrouillait bien. Un petit coup à gauche, un petit coup à droite, et ça y était.

— Tu vois, Do, a-t-il lancé, ton père est un danseur-né. Viens!

Il a fini par nous entraîner. Au début, on y est allées du bout des pieds, mais on s'est vite déliées. On s'est mises à chanter à tue-tête tout en se trémoussant. Le père de Do a fait jouer des cha-cha-cha, des merengue, puis un tango larmoyant. Il m'a tendu la main.

— Mademoiselle, est-ce que je peux…?

Il m'a enlacée, on a commencé à tourner.

— Pour le tango, a-t-il chuchoté à mon oreille, l'important c'est la posture. Il faut se tenir tout droit. Le reste, on peut l'inventer.

Je me suis redressée. On a pris tous les deux un air digne et sérieux. Il m'a fait chalouper. J'ai ri à gorge déployée. On faisait de grands pas, traversant le toit d'un bout à l'autre, joue contre joue. Ça tournait. Je ne savais plus où j'étais. Il a accroché Dolorès en passant. On a terminé le tango à trois, Do et moi renversées au bout de ses bras.

Ensuite, il s'est mis à l'accordéon et on a chanté de vieux succès du palmarès. Je flottais dans un drôle d'état, un délicat mélange de bonheur et de nostalgie que je n'avais jamais connu.

Vers minuit, Do a proposé qu'on aille se promener toutes les deux. Il faisait trop chaud pour dormir. Son père nous a laissées partir sans rechigner. Pas de longue discussion, pas de chapelet de recommandations. Tout était facile avec lui.

On a marché longtemps, au hasard des rues, tout en parlant. À un certain moment, on s'est retrouvées au pied du pont Jacques-Cartier.

J'ai toujours aimé le pont Jacques-Cartier. Quand j'étais petite, c'est par là qu'on quittait la ville pour aller à la campagne pendant l'été. Je me souviens de mon excitation à la vue de la structure métallique qui apparaissait tout à coup au bout d'une rue et de mon émoi devant le fleuve qui miroitait dans le soleil de juillet. Avec ma mère et ma tante Françoise, on comptait les secondes que prenait la traversée. Arrivées au bout, on criait «Vive les vacances!» en levant les bras au ciel. C'était joyeux. Le plus beau moment de l'année.

Il était deux heures du matin. Il n'y avait presque pas de circulation. On s'est engagées sur le trottoir du pont. On a monté lentement. À peu près au milieu, on s'est arrêtées. Un vent chaud s'était levé. On a regardé les lumières de la ville, au loin, et l'eau noire qui filait à des dizaines de mètres sous nos pieds. Un premier coup de tonnerre a retenti.

Do a dit: «On devrait faire un serment.»

— Quelle sorte de serment?

— Je ne sais pas. On va trouver.

Elle a enlevé son bracelet et l'a lancé à l'eau.

— Je jure que... je ne serai jamais ordinaire et ennuyante.

J'ai enlevé ma barrette et je l'ai lancée à l'eau.

— Je jure que... que je ne serai jamais amère et rabougrie.

On a ri.

Elle a enlevé une de ses boucles d'oreille et l'a lancée à l'eau.

— Je jure que je n'aurai jamais peur de l'inconnu.

J'ai enlevé une bague que j'avais au doigt. Je l'ai lancée à l'eau.

— Je jure que, même si j'ai peur, je vais foncer dans l'inconnu.

Elle a enlevé son foulard et l'a lancé. Le vent l'a emporté très loin. Elle a crié:

— Je jure que... je ne mourrai jamais en accouchant.

J'ai cherché dans mes poches un objet. Je n'ai trouvé qu'un vieux sou. Je l'ai lancé à l'eau en hurlant:

— Je jure que je ne partirai jamais dans la brume.

Elle a enlevé une petite chaîne qu'elle avait à la cheville, elle a ouvert la bouche pour parler. Le tonnerre a éclaté et la pluie s'est mise à tomber dru.

Elle s'est arrêtée.

— Viens, il faut y aller.

On s'est sauvées en courant. Elle n'a pas eu le temps de lancer sa chaînette en jurant qu'elle ne partirait jamais.

On est rentrées à trois heures du matin, trempées jusqu'aux ouïes.

La salsa

«Salsa, merengue, cumbia, bachata. Semaine et fin de semaine. Appelez dès maintenant. Professeurs compétents. Avec ou sans partenaire. Prix réduit pour étudiants.»

En grosses lettres noires, la publicité se détache nettement dans la colonne des petites annonces. Je tourne autour du téléphone en répétant mon intro.

«Bonjour, j'appelle au sujet de vos professeurs. Je voudrais savoir si un certain Desnoyers enseigne chez vous. Ou Desrosiers. Ou Deslauriers…»

C'est ridicule. On ne peut pas chercher quelqu'un qui change de nom constamment. Il faudrait que je le décrive. «Un homme de taille moyenne, les yeux gris-bleu, portant jeans et chemise hawaïenne, un danseur-né…» C'est ridicule.

Bon, tant pis. J'appelle. Une sonnerie, une deuxième, une troisième.

— Bonjour, je voudrais…

Au bout du fil, un message enregistré me coupe la parole. Sur fond de salsa endiablée, un homme au fort accent espagnol défile une série de renseignements sur les cours, les types de danse, les heures, les prix. Ça n'en finit plus. Évidemment, il ne dit pas un mot sur les professeurs. Je m'apprête à raccrocher, mais il enchaîne: «Ce soir, ne manquez pas notre grand concours de salsa. Vous pourrez voir en action les meilleurs danseurs.»

J'attrape vite un crayon. Je note le lieu et l'heure.

— Tu veux suivre des cours de danse?

Je sursaute.

Ma mère, penchée au-dessus de moi, a les yeux rivés sur le journal où j'ai encerclé au stylo rouge les petites annonces. Je ne l'ai pas entendue entrer. Elle m'énerve quand elle s'introduit dans ma chambre sans frapper.

— Je ne savais pas que tu t'intéressais à la salsa, dit-elle sur un ton vaguement ironique.

Elle flaire quelque chose. Qu'est-ce que je fais?

— Euh… Ce… ce n'est pas pour moi.

— Ah bon. Pour qui alors?

— Pour… pour JFK.

— Jean-Frédérick? Il danse comme un piquet de clôture. C'est toi-même qui me l'as dit.

— Oui, mais… il veut apprendre, justement.

— Véro, qu'est-ce qu'il y a? Je sens que tu me caches quelque chose.

— Non, non.

— Regarde-moi dans les yeux.

Elle prend mon visage dans ses mains. Lorsqu'elle me scrute d'aussi près, j'ai l'impression qu'elle radiographie mon cerveau et qu'elle va afficher le dessin tordu de mes pensées sur un écran lumineux. Vite, il faut faire diversion. Je pousse un petit rire maladroit.

— Il est imprévisible, JFK, tu le sais bien. Mais ce n'est pas important. C'était bien, ta réunion?

— Véro, pourquoi tu ne me dis pas la vérité?

Dans ma tête, je réponds: parce que si je prononce le nom de Dolorès, tu vas paniquer, je vais me fâcher et on va se disputer. Tu vas me rappeler en long et en large ce qui est arrivé, tu vas la traiter de tous les noms, je vais protester. Tu vas t'emporter.

Je vais claquer la porte. On va pleurer. C'est pour ça que je ne peux pas dire la vérité, comprends-tu?

Est-ce qu'elle parvient à lire tout cela dans mon visage éploré? Peut-être. Je ne sais pas. En tout cas, elle laisse tomber l'interrogatoire et caresse ma joue.

— Tu peux me faire confiance, tu sais.

— Oui, je sais.

Elle me serre très fort. J'ai envie soudainement d'avoir quatre ans. Me coller sur elle et pleurer un bon coup sans savoir pourquoi. M'endormir, épuisée, dans la chaleur de ses bras.

Je reste un bon moment sans bouger.

— Tu ne veux pas m'en parler?

— De quoi?

— De ce que tu me caches?

Je me dégage en douce.

— Je… Il n'y a rien à raconter.

— Bon. Comme tu voudras.

Elle se relève brusquement.

— Quand tu auras fini tes investigations sur la salsa, tu feras le ménage de ta chambre. C'est dégoûtant ici.

Elle est vexée. Elle sort en maugréant.

Je devrais la rattraper, lui offrir au moins un mensonge plus convaincant. Mais ma tête est vide et mes pieds ne veulent pas bouger.

Pendant presque une heure, je demeure assise, le journal dans ma main, à regarder sans les voir les publicités encerclées. Je n'arrive plus à faire un seul appel. Mon courage s'est envolé.

La sonnerie du téléphone me tire de ma torpeur.

— Allo, Véro? Comment ça va?

JFK. C'est le ciel qui l'envoie. Je prends ma voix la plus douce.

— Peux-tu venir tout de suite?

— Tu as des problèmes?

— Euh… oui. J'ai besoin de toi.

— Jure-moi que ce n'est pas à propos de Dolorès.

— Euh…

— Véro, tu m'avais dit que tu abandonnais.

— Je sais, mais je… Viens.

— Bon. O.K.

Il s'apprête à raccrocher.

— Oh! JFK! J'oubliais. Tu as décidé de t'inscrire à des cours de danse.

— Quoi?

— Si tu croises ma mère, tu lui racontes que la salsa est ta nouvelle passion. D'ailleurs, tu vas assister ce soir-même à un concours de danse tropicale…

— Mais, qu'est-ce que…?

— Je t'expliquerai.

Le bout de la route

Do était accroupie devant la carte du Québec étalée sur le plancher de la cuisine et tenait son doigt sur un point minuscule entre Saint-Évariste et Saint-Éphrem. La Guadeloupe.

— C'est ici.

Assise un peu plus loin, je l'observais. Sa chevelure titanesque tombait en cascade sur sa robe rose bonbon et bleu bébé, cintrée par un large ceinturon qui se terminait en boucle dans le dos. Elle avait porté cette chose inimaginable toute la journée et je ne l'avais même pas remarquée. Je me souviens d'avoir pensé: «Tiens, je me suis habituée. Les accoutrements de Dolorès ne me font plus sursauter.»

— Véro, est-ce que tu regardes ce que je te montre?

— Oui, oui, ai-je dit, en jetant un oeil distrait.

Je ne sais plus comment on en était arrivées à parler de La Guadeloupe. Je crois que c'est elle qui avait effleuré le sujet et, moi, j'avais demandé, comme ça, où se trouvait ce faux paradis sans cocotiers. Do s'était mise en frais de me montrer l'emplacement exact sur une carte à moitié déchirée qu'elle avait dénichée dans un tiroir.

— C'est tout petit, tu vois.

— Comment c'était de grandir dans un village?

— Je n'ai pas grandi là. On y est restés seulement dix mois.

— Ah bon? Et avant, où est-ce que vous étiez?

— Avant La Guadeloupe? Euh… au Cap-de-la-Madeleine. Là non plus, on n'a pas vécu longtemps. Peut-être un an et demi. Je ne sais plus.

— Dans combien d'endroits avez-vous vécu?

— Attends.

Elle a disparu dans sa chambre, en est revenue avec une boîte d'épingles à tête de couleur.

— Bon, Montréal, La Guadeloupe, le Cap-de-la-Madeleine.

Elle a planté une épingle sur chacune de ces villes.

— Avant le Cap, on était à… Amqui, il me semble. Oui, c'est ça. On a dû rester là au moins deux ans. Peut-être un peu plus. C'est là que j'ai fini mon primaire. Et avant, on était à Coaticook. Non, je me trompe. Avant Amqui, c'était… euh… Victoriaville et, avant Victo, c'était Coaticook. Et avant, il y a eu Joliette et, encore avant, Val-d'Or. J'y suis née et j'y suis restée sept ans. Un record.

La carte était parsemée de petites épingles colorées. J'étais soufflée.

— Tu as vraiment vécu dans toutes ces villes?

— Attends, j'ai oublié Québec. C'était entre Val-d'Or et Joliette, je crois. Je ne m'en souviens presque pas. Ça n'a duré que quelques mois.

— Pourquoi avez-vous déménagé aussi souvent?

J'ai cru voir une ombre traverser ses yeux. Elle a détourné la tête.

— Mon père aime le changement.

— Oui, d'accord, mais neuf villes en moins de quinze ans…

— C'est… à cause de ses affaires. Quand ça ne marche pas comme il veut, il aime mieux s'en aller. Il dit qu'il a besoin d'un endroit neuf pour trouver une nouvelle idée.

— Et ce n'était pas difficile de toujours…

— À toi, maintenant, a coupé Do en me tendant la boîte d'épingles.

Comme je l'ai déjà dit, Dolorès avait un sens aigu de la réciprocité.

J'étais contrariée. Je me sentais ridicule avec mon unique drapeau planté sur Montréal. Même à l'intérieur de la ville, je n'ai changé de place qu'une seule fois, à dix ans, quand ma mère a acheté notre maison en copropriété avec Francine et Rosemarie. Et c'était à cinq rues de l'appartement où on habitait avant!

Peut-être pour me rendre intéressante, je ne sais pas, j'ai piqué une autre épingle à l'extrémité de la carte, sur Natashquan, un village de la Basse-Côte-Nord. L'effet a été immédiat.

— Tu as déjà habité là? a demandé Do, incrédule.

— Euh… Non. Mais j'aurais pu.

— Comment ça?

— C'est là que vit mon père.

— Ton père? Tu sais où il est? s'est exclamée Do, soudainement intéressée.

— Ma mère entend quelquefois parler de lui par des amis. Aux dernières nouvelles, il était toujours là.

— Mais c'est un coin complètement perdu. Regarde, la route ne s'y rend même pas.

Elle avait raison. Le mince trait rouge s'arrêtait à quelques centimètres de là, à Havre-Saint-Pierre. Je ne l'avais jamais remarqué.

— Qu'est-ce qu'il fait dans ce bled, ton père?

— Il paraît qu'il a pêché pendant un bout de temps. Aujourd'hui, je ne sais pas.

Do fixait le point sur la carte, comme hypnotisée.

— Le bout de la route. Tu te rends compte? Le bout de la route!

— Oui, je sais, c'est très loin.

— Et tu n'y es jamais allée?

— Jamais.

— Tu as dû en rêver.

— Euh... Non, non. Pas spécialement.

Je mentais. Des dizaines de fois, quand j'étais petite, je me suis imaginée atterrir dans ce village du bout du monde. Je me voyais, debout sur le quai, au petit matin, à contempler le bateau de pêche de mon père qui avançait lentement dans le brouillard. Une scène de film, totalement cliché. Mais je n'avais pas envie d'en parler. C'était de la vieille histoire. Une affaire classée depuis longtemps.

J'ai essayé de changer de sujet.

— Et toi… euh… quelle ville as-tu aimée le plus?

Au lieu de me répondre, elle a lancé, triomphalement:

— On y va!

— Où ça?

— Au bout de la route!

— Hein? Pourquoi?

— Pour faire une folie.

— Mais… Comment…?

— Comment? En autobus, jusqu'à la fin du chemin. Après, on verra bien!

— On n'a pas d'argent.

— Mon père nous en doit tout plein.

— Ma mère ne voudra jamais.

— On trouvera un moyen.

— Do, voyons, ça n'a pas de bon sens.

— Pourquoi?

Elle était plantée devant moi. Les yeux allumés, les joues en feu. Cette idée folle l'excitait au plus haut point, cela se voyait. Et quand Dolorès se mettait à s'emballer pour quelque chose, il fallait des arguments en béton armé pour l'arrêter.

— Euh… je ne sais pas… ai-je marmonné. On ne peut pas partir comme ça. Et puis, il n'y a rien à voir là-bas.

— Comment ça, rien à voir? Il y a ton père, dans la brume.

— Je ne suis même pas sûre qu'il y est encore. Je… je n'ai rien à lui dire, au fond.

— Tu te fous de lui parler. Tout ce que tu veux, c'est le voir, non?

— Oui, mais…

— Moi, a-t-elle murmuré avec une émotion soudaine, si on m'apprenait que ma mère est quelque part sur la carte, je n'hésiterais pas une seconde. Je ferais des kilomètres pour la regarder, même de loin, même pendant cinq minutes.

Il y a eu un long silence. Puis elle a repris son sourire et son entrain.

— De toute façon, s'il n'est pas là, ton père, il y aura plein de choses à voir: la mer, la forêt, les îles, le bout du chemin! Tu as dit des dizaines de fois que tu rêvais qu'on parte ensemble.

— C'est vrai, mais…

— Je comprends que tu aies peur, seulement je t'assure que…

— Je n'ai pas peur, ai-je coupé sèchement.

— Alors on le fait?

— Euh…

Tout de suite, elle s'est mise à ébaucher un plan. Maintenant que la décision était prise — en tout cas dans sa tête —, elle était pressée de mettre les choses en marche. On était déjà en août. L'école allait bientôt recommencer. On n'avait plus beaucoup de temps, disait-elle, pour mettre notre projet à exécution. Il fallait faire vite. Elle a couru chercher l'annuaire de téléphone.

— Do, qu'est-ce que tu fais?

— J'appelle la compagnie d'autobus.

Prenant un ton affable, elle a demandé à la préposée des «informations sur le trajet Montréal-Natashquan».

— Je sais, mademoiselle, que la route ne se rend pas jusque-là, a-t-elle précisé avec un brin d'impatience. Je veux savoir comment je peux aller au point le plus près.

Elle m'a fait signe de lui trouver un crayon et du papier. Elle a griffonné les renseignements en faisant des «oui, je vois, oui» le plus sérieusement du monde.

— Et… Euh… combien coûte le billet? a-t-elle fini par dire.

Elle a fait «Mmm, très bien», sans rien écrire sur le papier, elle a remercié la dame et a raccroché.

— Je sais tout! Il faut au moins deux jours pour y aller.

— Deux jours!

— Il faut prendre l'autobus à six heures du matin, rouler pendant quatorze heures jusqu'à Sept-Îles. Là, il faut attendre jusqu'au lendemain après-midi un autre autobus qui nous emmène en quatre heures à Havre-Saint-Pierre. Après, euh… après, on se débrouille! On fait du «bateau-stop», je suppose!

Je la regardais s'agiter, me raconter en détail l'itinéraire à suivre, dresser la liste des préparatifs.

Je ne sais plus exactement à quel moment j'ai commencé à embarquer vraiment dans ce projet farfelu. Peut-être lorsqu'elle a parlé des innombrables jeux que l'on pourrait inventer en observant les nouveaux visages, les nouveaux lieux qui défileraient sous nos yeux.

Je nous ai vues, toutes les deux, en train de rigoler, dans l'autobus, de flâner au terminus de Sept-Îles — activité passionnante entre toutes! —, marcher sur la plage déserte

— y aurait-il une plage à Natashquan? —, regarder le soleil se lever sur la mer étale.

Et puis il y aurait, peut-être, mon père au bout de la route. C'était fou, je le savais, et je n'osais pas trop l'avouer, mais cela m'attirait pour vrai. L'idée de le contempler, à son insu. Voir s'il y avait en moi quelque chose de lui: une façon de bouger, un petit geste, une lueur dans les yeux. Un détail subtil qui me ferait dire: on est pareils, tous les deux.

J'ai pris une profonde inspiration:

— O.K... On y va.

Il y avait encore plein d'obstacles à surmonter. L'argent notamment. Il fallait convaincre le père de Dolorès de nous payer rapidement, ce qui n'allait pas être si facile. Chaque fois que Do lui avait demandé de nous donner au moins une partie de ce qu'il nous devait, il avait répondu qu'il était un peu «serré», mais que très bientôt les choses allaient s'arranger.

Il y avait aussi ma mère. Il fallait trouver une histoire pour qu'elle me laisse partir. Je n'avais pas parlé de mon père depuis des années avec elle. Il était hors de question que j'aborde le sujet. J'allais devoir inventer.

Cela me chicotait. Je ne lui avais jamais menti. Enfin, pas sur des trucs vraiment importants. Pour Dolorès, ce serait plus simple. Son père la laissait faire ce qu'elle voulait. Enfin, c'est ce qu'on s'imaginait.

Je sais ce que vous pensez. C'était un projet insensé. Mais on avait quatorze ans et demi, et on y croyait complètement.

Le concours

— Wow! As-tu vu ça?

JFK a les yeux écarquillés. Le tableau est en effet spectaculaire. Dans une salle immense, décorée de soleils et de cocotiers de papier, des centaines de personnes se trémoussent le bassin au rythme d'une musique latino endiablée. Sur la scène, un maître de cérémonie, habillé d'un costume jaune orange sur une chemise rose à volants, contemple la foule avec un sourire de satisfaction. Discrètement, il marque le tempo de petits coups de hanches bien placés.

— On a probablement une chance sur mille de trouver ce qu'on cherche ici, mais on a bien fait de venir, s'époumone JFK. Je sens qu'on va s'amuser. Attends-moi, je vais essayer de nous dénicher une place.

Il disparaît dans la foule d'un pas décidé. Il jubile.

Il m'a pourtant fallu au moins deux heures pour le persuader de m'accompagner. Il disait que c'était une démarche parfaitement inutile, que je délirais. «Même en admettant que c'est bien le père de Do qui s'est sauvé du 2368 Desbaillets, a-t-il argumenté, qu'est-ce qui nous prouve qu'il a raconté la vérité à son proprio à propos du concours de danse? Il n'a pas l'air d'en être à un mensonge près.»

J'ai bafouillé quelque explication brumeuse. JFK m'a fixée d'un air inquiet:

— Je ne sais pas ce qu'ils t'ont fait, ces deux-là, mais tu perds les pédales quand tu parles d'eux.

Je sentais bien qu'il voulait en savoir plus, mais je n'avais pas le coeur, et pas le temps, de tout lui raconter depuis le début. J'ai fini par dire: «Fais ce que tu veux. Moi, en tout cas, j'y vais.» Il a bougonné, mais il m'a suivie.

JFK a sans doute raison: les chances que le père de Do soit ici sont vraiment minimes. Ce n'est pas parce qu'il a mentionné un concours de danse tropicale à son propriétaire que l'on peut s'y fier. Je sais. Cependant, je suis presque sûre qu'il n'a pas tout inventé. C'est souvent comme ça quand on ment. On brode autour d'une petite vérité.

En plus, il a besoin d'argent et il est tout à fait le genre à penser qu'un concours de salsa est l'occasion rêvée pour se renflouer. Je l'entends d'ici annoncer avec enthousiasme qu'il est sûr de l'emporter. Je vois ses yeux qui pétillent, son sourire convaincant, «irrrrrésistible» comme la «sauce spéciale Desnoyers».

La musique s'est arrêtée. L'animateur explique le déroulement du concours: quarante-huit couples en compétition, qui seront réduits à douze, puis à six et enfin à trois grands gagnants. Sur la scène, cinq ou six personnes prennent place derrière une longue table. «Les juges», clame pompeusement l'homme en jaune orange.

— Tiens, je n'ai pas trouvé de chaise libre, mais je t'ai apporté ça.

JFK me tend une bouteille de bière dégoulinante. Je la saisis et en bois une bonne lampée.

— Viens, dit-il en me tirant par la manche. On va essayer de s'approcher. Ça va commencer. Il y a ici des spécimens de kitch inimaginables. J'aurais dû apporter mon appareil photo!

On arrive tant bien que mal à se faire un trou pour observer la piste de danse. L'animateur présente les aspirants aux trophées.

— Le couple numéro 23, de Lavaltrie, Lucie Saint-Onge et Jim Bélanger.

Lucie et Jim se mettent en place. Lui, la quarantaine légèrement bedonnante; elle, beaucoup plus jeune, en robe fuseau hyper-décolletée.

— Le couple numéro 17, de Sainte-Rose, Suzie Monette et Gerardo Ramirez.

Ceux-là sont parfaitement coordonnés: même chevelure noire ébouriffée, même peau basanée, même maillot turquoise, même pantalon moulant qui risque d'éclater sur leurs petites fesses bien musclées.

— Le couple numéro 8, de Montréal, Nathalie Charrette et Ben Desrochers.

Desrochers. Le nom me fait sursauter. Je ne les vois pas bien. Ils sont à l'autre bout de la piste. Une fille immense en minijupe noire et corsage moulant; lui, plus petit, jeans et chemise bariolée, cheveux blond platine. Est-ce que c'est lui? Le père de Do n'est pas blond, pourtant…

— Moi, je mise sur le 17. Et toi? dit JFK.

Il n'a jamais vu le père de Dolorès. Il ne peut pas le reconnaître. Il s'en fout, de toute façon. Il a déjà oublié que c'est pour lui qu'on est ici… «De Sorel, Lucie Tisdale et Paul Robinson…»

J'avale le reste de ma bière en trois gorgées.

— Va m'en chercher une autre, O.K.?

— Déjà?

— S'il te plaît.

— Bon. Mais surveille bien le 17 pour moi!

Il se dirige vers le bar en rigolant. «Bonne chance à tous!» clame l'animateur survolté. Et la musique retentit. Une salsa d'enfer!

Au quart de tour, les six couples de danseurs se mettent en action. J'essaie de ne pas quitter des yeux le numéro huit. Est-ce que c'est lui? La façon de se déhancher, de bouger les bras, il me semble bien que...

Ses pieds se déplacent avec précision, on dirait qu'ils ne touchent pas le plancher. Il est totalement concentré. «Quand mon père fait quelque chose, affirmait Dolorès, la planète pourrait sauter que ça ne l'empêcherait pas de continuer!»

Il a l'air détendu, parfaitement heureux avec sa partenaire filiforme qui ne le quitte pas des yeux. «Un danseur-né...» Il se dégage de lui une aisance incroyable, un plaisir de bouger qui sort par tous les pores de sa peau. Vous le regardez et vous oubliez complètement qu'il est mal habillé, qu'il a les cheveux gominés et que vous détestez la salsa.

Il tourne la tête vers moi. C'est lui.

— Est-ce que le 17 était le meilleur?

JFK me tend une bière glacée. Je me détourne, mais il a le temps de voir mon visage tout rouge et mouillé.

— Qu'est-ce que tu as, Véro?

La musique prend fin. Les concurrents se dispersent. Je vois l'homme se diriger vers le fond de la salle. J'ai chaud, tellement chaud.

— Je… Excuse-moi. Il faut que…

Sans explication, je tourne le dos à JFK et je fonce dans la foule.

— Véro! Qu'est-ce que…?

Je marche vite, je tasse les gens tout en m'étirant le cou pour ne pas perdre l'homme de vue. Il disparaît derrière une porte avec sa partenaire. Encore quelques secondes et j'y serai.

Un gars sorti de nulle part me bloque le chemin. Un mastodonte avec une petite moustache ridicule.

— Hé! Tu ne peux pas entrer là. C'est réservé aux concurrents.

Vite. Il faut trouver un prétexte. Je respire profondément.

— Justement, je cherche mon partenaire. Je suis pressée. Ça va être à nous.

J'entends l'écho de ma voix. Forte et pleine d'assurance.

— Ah bon. Euh… as-tu ta passe?

— Je suis pressée, je vous dis.

— Bon, O.K., je te laisse entrer, mais…

Je me faufile en vitesse.

Un corridor mal éclairé mène à deux portes situées l'une en face de l'autre. J'ouvre la première. Une vingtaine de femmes vérifient leur allure, leur coiffure, font des retouches à leur maquillage devant les miroirs encadrés d'ampoules blanches. Au centre de la pièce, quelques-unes répètent une dernière fois leurs petits pas compliqués.

J'ouvre la seconde porte: des hommes, à peine plus calmes, qui fument et marchent de long en large. L'un d'entre eux, maigre et tout petit, se traîne à quatre pattes, l'air désespéré.

— Où sont mes souliers? gémit-il. Je ne peux pas danser sans mes souliers!

Quelqu'un lui crie en rigolant:

— Veux-tu mes bottes?

C'est lui. Le père de Do. Il est bizarre avec ses cheveux blonds. On dirait un chanteur rock.

— Non, je ne veux pas vos bottes. Je veux mes souliers! s'entête le petit monsieur désespéré.

Quelqu'un tape sur mon épaule. Je me retourne. Le mastodonte à moustache me regarde d'un oeil soupçonneux.

— Est-ce que tu le trouves, ton partenaire?

J'hésite, puis je pointe mon doigt vers le père de Dolorès. Le gars se dirige droit sur lui.

— Il y a une fille qui te cherche, dit-il, sur un ton vaguement méfiant. Il paraît qu'elle danse avec toi.

Le père de Do lève les yeux. Il m'aperçoit. Je vois la surprise sur son visage. Mais il comprend tout de suite la situation et il réplique, le plus naturellement du monde:

— Oui, c'est ma partenaire. Est-ce qu'il y a un problème?

— Euh… Non, non, mais dépêchez-vous. Les juges vont donner les résultats du premier groupe dans deux minutes et après on enchaîne.

Il disparaît.

Le père de Do s'approche. Il sourit, mais il semble nerveux.

— Alors, Véro, tu danses la salsa avec moi?

Vas-y, Véro. Dis-lui que... qu'il n'est qu'un menteur et un voleur. Crie. Ferme tes poings. Frappe partout. Fais une colère. Renverse tout sur le plancher, les tables, les miroirs et les accessoires. Et dis-lui qu'on ne peut pas agir comme ça. On ne peut pas.

— M'as-tu vu tout à l'heure? C'était pas mal, hein?

Il tourne en se déhanchant.

— Où sont mes souliers? crie le petit monsieur en fourrageant sous les tables.

Fais quelque chose, Véro. Éclate. Bouge. Hurle n'importe quoi.

J'ouvre la bouche avec peine.

— Où... Où est-ce que vous étiez, Do et toi?

C'est tout ce que j'arrive à dire, dans un mince filet de voix.

— Écoute, je... je ne peux pas te parler longtemps. Ils vont annoncer les résultats. Je ne veux pas manquer ça.

Il s'éloigne.

Je répète, un peu plus fort.

— Où est-ce que vous étiez?

— Je… J'ai eu des ennuis depuis une couple d'années, mais là, ça va aller mieux, très bientôt. Je l'ai dit tantôt à Dolorès…

— Do est ici?

— Non, non. Elle ne pouvait pas venir.

— Où est-ce qu'elle est?

Il n'a pas le temps de répondre. La voix de l'animateur retentit dans les haut-parleurs accrochés au-dessus de la porte.

«Gagnant du premier groupe: le couple numéro 8!» La foule applaudit.

— C'est moi! Tu vois, je te l'avais dit!

Il me prend, me serre, m'embrasse sur les joues.

— Je vais le gagner, le premier prix. Je le sens. Je l'ai dit à Dolorès: ton père est un danseur-né! Bon, excuse-moi. Il faut que j'aille retrouver ma partenaire. Je… j'étais content de te revoir.

Il se sauve en courant. Je crie:

— Où est-ce qu'elle est?

Il lance, sans même se retourner: «Au Vieux-Port. Elle travaille au…» Je n'entends pas bien la suite. Je crois que le dernier mot est «douche».

— Je VEUX mes souliers, comprenez-vous?

Le petit monsieur s'est planté devant moi. Il est tout rouge. On voit les veines de son cou. Il rugit:

— Des souliers, ça ne disparaît pas comme ça!

Je le prends par les épaules et je me mets à le secouer comme un cocotier. Je hurle.

— Et les gens, pourquoi ils disparaissent, les gens? Le savez-vous? On ne peut pas agir comme ça! On ne peut pas être important pour quelqu'un, être charmant et gentil, puis se déguiser en courant d'air. On ne peut pas! Un menteur et un voleur! C'est ce qu'il est. Comprenez-vous? Et moi, je… je ne le savais pas. Moi, je… Excusez-moi.

Je le laisse. Il tombe sur une chaise, complètement sonné. Vite, de l'air. Je vais exploser. Je cours. Dans la salle, la musique résonne à tue-tête. Sortir d'ici au plus vite.

— Véro! Veux-tu bien me dire où tu étais? JFK. Je l'avais oublié.

— Qu'est-ce que tu as? Tu es toute pâle.

Il prend mon visage dans ses mains.

— Là, tu vas m'expliquer ce qui se passe, sinon je ne t'aide plus. Je veux tout savoir, depuis le début.

Il ne rigole pas.

— C'est une histoire absurde. Tu vas te moquer…

— Je te jure que non.

— Bon. O.K. Mais on sort d'ici. J'ai besoin de marcher.

— Tu veux rentrer à pied?

— On va au Vieux-Port.

Avant qu'il puisse protester, je commence à raconter.

Le grand départ

Deux semaines s'étaient écoulées depuis qu'on avait décidé de partir «au bout de la route», Do et moi.

Entre nous, on ne parlait plus que de ça. On lisait des prospectus et des guides, on préparait d'interminables listes de choses à faire, de lectures à emporter, on faisait notre maigre budget.

Do avait fini par me révéler le prix du billet d'autobus: deux cent soixante-quinze dollars (quoi???). Son père nous devait environ trois cents dollars chacune. J'ai dit à Dolorès que c'était nettement insuffisant. Mais il en fallait plus pour l'arrêter.

— À Sept-Îles, on dormira au terminus. Après, on trouvera bien quelqu'un qui voudra nous héberger. Dans les petits villages, c'est facile. Et il y a ton père...

— Il y a *peut-être* mon père.

— Même s'il n'est pas là, il y aura sûrement des gens qui le connaissent. Ils seront contents de t'accueillir.

— Bon. Mais il faudra bien payer le bateau.

— On s'arrangera. On fera des sourires. On fera pitié…

— Et pour la bouffe?

— Ça, c'est facile. On a juste à stocker.

On s'est mises à faire en cachette des provisions de biscuits, de fruits secs, de petits puddings en conserve que l'on subtilisait dans nos garde-manger. Enfin, surtout dans le mien qui était bien garni. Celui de Do, lui, laissait à désirer. Son père ne le remplissait pas beaucoup ces derniers temps. Il disait qu'il était un peu «serré», mais que tout allait bientôt s'arranger.

On n'avait parlé à personne de notre projet. C'était notre secret. On avait pensé, au début, mettre le père de Do dans le coup. On n'a pas osé. On n'était pas assez sûres de sa réaction. Dolorès lui avait donc demandé l'argent qu'il nous devait en disant simplement qu'on en avait besoin maintenant, sans préciser la raison. Il n'avait pas posé de questions. Il n'était pas du genre soupçonneux.

Et puis, il avait autre chose en tête. Il semblait préoccupé. Quand le téléphone sonnait, il déclarait souvent: «Je ne suis pas là», et il disparaissait dans le salon. Il sortait beaucoup, quelquefois jusque tard dans la nuit. Il paraissait inquiet, ce qui ne lui ressemblait pas du tout.

Un soir, il est rentré chargé de bouffe, de fleurs, de vin mousseux.

— Tenez, les filles. Ce soir, on fête. Je le savais bien que mes affaires allaient débloquer.

— Tu vas pouvoir nous payer?

— Pas plus tard que vendredi, a dit le père de Do sur un ton joyeux.

— Vendredi? C'est promis?

— Croix sur mon coeur.

Il s'est mis à préparer des spaghettis. Do m'a entraînée dans sa chambre.

— On devrait partir samedi, a-t-elle chuchoté.

— Ce samedi?

— Absolument. L'école recommence dans deux semaines. On n'a pas de temps à perdre.

— Tu as raison.

On a bu du vin mousseux, horriblement sucré, et on a chanté toute la soirée. C'était gai.

Avant de quitter la table, Do a glissé en douce la boîte de grissol dans son sac. On a ri.

Finalement, vendredi est arrivé. On s'est quittées vers seize heures. Do devait rejoindre son père au centre-ville. Il avait besoin d'elle pour aller chercher des vêtements et il devait lui remettre les six cents dollars. On s'est donné rendez-vous le lendemain matin, à cinq heures, au coin de sa rue.

Il me restait toute la soirée pour écrire le mot que j'allais laisser à ma mère. Ce n'était pas de trop. Je ne lui avais rien dit de ce qui se préparait. Dès que je prononçais le nom de Do, elle se cabrait. Je ne savais pas du tout ce que j'allais inventer.

À mon grand soulagement, ce soir-là, elle est sortie avec des amis. J'avais la maison à moi toute seule. C'était parfait. J'ai d'abord fait mes bagages: quelques vêtements, ma trousse de toilette, au moins quatre ou cinq livres, des tonnes de biscuits, de pâtés en boîte, des arachides et des dizaines de sachets de soupe. J'étais si énervée! J'ai dû ouvrir au moins cinquante fois mes tiroirs pour vérifier si j'avais pris mes bas.

J'étais dans un drôle d'état. J'avais l'impression de partir pour le bout du monde. Pour toujours.

Je me suis assise à ma table pour écrire. «Chère maman…» J'étais bloquée. «J'avais oublié de te dire que j'allais en camping avec le club des loisirs du quartier.» Oublié. C'est ridicule. «Chère maman, je suis partie au bout de la route…» Mais non. Des plans pour qu'elle fasse une syncope.

J'ai dû commencer une vingtaine de lettres que j'ai toutes chiffonnées après une ou deux phrases. Puis je suis restée très longtemps sans bouger à triturer les boules de papier.

Vers minuit, j'ai entendu ma mère rentrer. Pendant une fraction de seconde, j'ai hésité. Est-ce que je lui dis tout? Non. Je ne peux pas. J'ai vite enfoncé toutes les boules de papier dans mon sac à dos que j'ai lancé au fond de mon garde-robe, j'ai éteint la lumière et je me suis précipitée sous les couvertures, tout habillée.

Une minute après, elle a frappé à ma porte.

— Véro, est-ce que tu dors?

Silence. Elle a ouvert à moitié. Je n'ai pas bougé. Je l'ai entendue chuchoter, pour elle-même:

— Mon Dieu! Ça a bien l'air en ordre, ici. Je ne peux pas croire qu'elle a fait son ménage. Il ne faut jamais désespérer.

Elle a refermé la porte avec précaution, pour ne pas me réveiller.

J'ai tourné pendant des heures dans mes vêtements froissés et j'ai fini par m'endormir. Je me rappelle que j'ai rêvé.

J'étais avec Dolorès sur le pont Jacques-Cartier. On avait nos sacs à dos. Elle m'a demandé: «Es-tu prête?» J'ai dit: «Tu es sûre que ça va marcher?» Elle m'a répondu: «Mais oui, je suis sûre. Arrête donc d'avoir peur.» Elle a pris ma main, on est montées sur le garde-fou… et on s'est envolées. On planait au-dessus du fleuve. C'était si beau que ça donnait envie de pleurer. Le soleil qui brillait sur l'eau, le ciel immaculé. Mon réveil a sonné.

Quatre heures et demie. Il faisait encore nuit. Sur la pointe des pieds, j'ai sorti mon sac à dos de sa cachette, j'ai pris une feuille et j'ai écrit rapidement: «Chère maman, je me suis envolée pour quelques jours. Ne t'inquiète pas. Tout va bien aller. Véro.» Dans la cuisine, j'ai ajouté: «J'ai pris le pain et le pot de beurre d'arachide. J'espère que tu ne m'en voudras pas.» Je suis sortie sans faire de bruit.

Je suis arrivée dix minutes en avance à notre point de rendez-vous. Le soleil commençait à poindre. Le ciel était sans nuages. Il allait faire beau.

Cinq heures. Elle n'était pas en vue. «Ce matin-là, Fabienne ne s'inquiétait pas, pensais-je. Elle savait que Dominique était souvent en retard, mais qu'elle finissait toujours par apparaître, détendue, avec une excuse bien ficelée.» Cinq heures et quart. J'ai commencé à marcher en direction de sa maison. J'allais sûrement la voir surgir, tout énervée.

Cinq heures vingt. J'étais devant chez elle. J'ai frappé quelques petits coups discrets. Pas de réponse. Je ne voulais pas sonner et risquer de réveiller son père.

Je me suis approchée de la fenêtre du salon qui donnait sur le balcon. J'ai collé mon nez sur la vitre. Et là, j'ai vu… Le vieux divan turquoise au milieu de la pièce absolument vide. J'ai regardé de nouveau. Plus de table à café, plus de fauteuil en cuirette jaune, plus de photos de Dolorès et de son père sur les murs défraîchis, plus de lampe torchère.

Rien que le vieux divan dégueulasse. J'avais chaud. Mon coeur battait.

Je suis retournée à la porte, j'ai frappé plus fort. Elle s'est ouverte. J'ai avancé lentement dans le corridor jusqu'à la cuisine. Vide. La petite chambre du fond, vide également, à part quelques piles de vêtements éparpillés sur le plancher. Je me suis dirigée vers la chambre de Do, j'ai poussé la porte. Vide, sauf pour la vieille affiche du film *Autant en emporte le vent* restée collée au mur.

C'est là, sous le regard indifférent de Scarlett O'Hara et de Rhett Butler, que j'ai vraiment compris. Do était partie, envolée. Et son père aussi.

Comment vous dire le trou que ça a fait dans mon ventre? Comme si j'avais été traversée par un boulet de canon. Ou découpée à la scie sauteuse. Ou défoncée par un bélier.

J'ai fait le tour de la maison, pièce par pièce, à la recherche d'une lettre, d'un mot, d'un message quelconque. Une petite enveloppe avec l'inscription «Pour Véro». J'ai fouillé partout. Je n'ai rien trouvé.

J'ai marché longtemps, le long du corridor, en répétant tout bas: «On ne peut pas faire ça aux gens. On ne peut pas disparaître comme ça. On ne peut pas.»

Je me sentais aussi vide et laide que cette maison abandonnée. Depuis quatre mois, Do avait été mon courage, mon audace, ma folie et maintenant elle était partie. Et son père aussi.

J'ai fini par me coucher sur le divan, recroquevillée. Incapable de bouger.

C'est là que ma mère m'a découverte, vers huit heures et demie. Elle avait lu mon mot en se réveillant et s'était tout de suite précipitée chez Dolorès, se doutant bien que c'était avec elle que j'étais partie. Elle est entrée en trombe dans la maison, prête à me faire passer le pire quart d'heure de ma vie. Puis elle m'a vue, roulée en boule sur le canapé, les yeux vagues. Elle a eu un choc.

— Véro? Qu'est-ce que…?

Elle s'est approchée, s'est assise à côté de moi. Sa voix tremblait.

— Véro. Qu'est-ce que tu as? Qu'est-ce qui s'est passé? Réponds-moi.

Je ne pouvais pas ouvrir la bouche.

— Ils sont partis, c'est ça?

J'ai fermé les yeux.

Elle m'a ramenée à la maison. J'ai mis trois jours avant de prononcer un mot. Ma mère m'a posé mille questions. Où est-ce que j'allais? Et pour combien de temps? Et avec quel argent? J'ai seulement dit: «On voulait partir quelques jours, c'est tout.» Je n'ai pas expliqué. J'avais si mal. Je pensais que si je n'en parlais pas, cela s'effacerait. Je finirais par croire que ça n'avait jamais existé. Peu à peu, j'ai repris ma vie. J'ai revu mes amis. Je n'ai rien raconté, à qui que ce soit.

Pendant des jours, j'ai espéré un signe de Dolorès. Chaque fois que le téléphone sonnait, je me disais: c'est elle. Elle va tout m'expliquer. Je vais l'engueuler, puis on va rigoler. Aucun signe n'est venu.

J'ai passé les dernières journées de l'été à flâner. Ma mère insistait pour que je lise. «Ça va te changer les idées.» Je n'en faisais rien. Je savais que si j'ouvrais un roman, n'importe lequel, j'allais me mettre à pleurer et je ne pourrais plus jamais m'arrêter.

Le fleuve Saint-Laurent

— Tu vois. Je t'avais averti. C'est une histoire absurde. Même pas spectaculaire. Il n'y a pas de mort, pas de blessé, pas de vrai danger. Seulement des jours entiers à flâner, des milliers de fous rires, un projet de voyage insensé, avec des biscuits et des sachets de soupe dans un sac à dos, et puis plus rien. RIEN, tu comprends? C'est l'histoire d'un trou, un creux, un vide, une tonne de rien qui tombe sur une fille de quatorze ans et demi un beau matin. Est-ce que tu comprends?

JFK me regarde comme s'il me voyait pour la première fois. J'ai parlé sans arrêt depuis qu'on a quitté la salle de danse. J'ai tout raconté. Il n'a pas ri du tout.

— Véro, je… je ne sais pas quoi dire. Je…

Il passe son bras autour de mon épaule, me serre très fort. Je le sens tout remué.

Je relève la tête. On est au Vieux-Port. Je n'avais pas remarqué. Il y a beaucoup de monde: des couples, des familles, des jeunes en vélo, en patins sur la piste cyclable… Au loin, près de l'eau, une grande banderole annonce en lettres rouges: *Bateaux-mouches. Excursions. Départ toutes les heures.*

Je m'écrie: «Mouche. C'est ça. Il a dit mouche. Pas douche. Bateau-MOUCHE!»

— Quoi? De quoi tu parles? demande JFK.

— Viens.

Je cours vers le quai. Un bateau fait justement son entrée. Les passagers débarquent lentement. Des touristes. Japonais pour la plupart. Ils ont tous l'air contents. Les employés s'affairent sur le pont.

— Véro, qu'est-ce que…

— JFK, je… J'ai besoin que tu fasses une chose pour moi. C'est la dernière fois, je te le promets. Tu vois l'employé qui se tient à l'entrée du bateau? Je voudrais que tu l'occupes pendant quelques minutes, le temps que je me faufile à l'intérieur.

— Mais…

— Je t'en prie. Après, tu pourras t'en aller si tu es fatigué. Je t'appellerai demain.

On s'approche du type en question. JFK commence à lui faire la conversation. Il lui montre du doigt un autre bateau un peu plus loin. Le gars s'étire le cou. Je me glisse sous la corde derrière lui. Voilà. Merci, JFK.

Je prends le premier escalier qui descend à la salle à manger. Des gars et des filles défont les tables avec rapidité. Elle n'est pas là. Je remonte vers le premier pont. Encore des gars qui font le ménage. J'aperçois un autre escalier qui monte sur le pont le plus haut. Je grimpe. Le vent est frisquet, là-haut. Je frissonne.

Je marche jusqu'au bout. Il y a quelqu'un sur le tout premier banc. La tête légèrement penchée vers l'avant. Un crâne arrondi. Pas de cheveux. À ses côtés, une vadrouille dans un seau. Je m'approche. Je vois un peu mieux. La personne tient une lampe de poche dans sa main, qu'elle dirige vers un livre posé sur ses genoux. Elle lit.

Je murmure: «Do.» Rien ne bouge. Je dis de nouveau: «Dolorès. C'est toi?» Elle lève la tête. J'avance de quelques pas. Je tremble un peu. Il fait froid. Je peux presque la toucher. J'allonge mon bras. «Oui, Véro, c'est moi.»

Cette voix. Je la connais bien. La silhouette se retourne. Je distingue son visage. Comme elle a changé. Ses traits paraissent plus gros, plus anguleux sans la couronne de cheveux. Mais je reconnais la forme des yeux, le nez droit, les petits flocons sur les joues. Elle porte une espèce de combinaison de travail trop grande pour elle qui lui donne l'air un peu clown. On s'observe longuement. Elle parle la première:

— Comment as-tu fait pour me retrouver?

— Je t'ai beaucoup cherchée.

Silence. Elle finit par bouger.

— Écoute, il faut que j'aille travailler. J'avais pris une pause, mais…

— Explique-moi.

— Ils m'attendent, en bas.

— Ils attendront. Explique-moi. Maintenant.

Elle recule, elle s'assoit, se met à fixer un point au loin. Je m'assois aussi. Juste à côté. Elle commence à parler.

— Cet après-midi-là, je veux dire la veille de notre départ, j'avais rendez-vous avec mon père. Tu te souviens? On devait faire une livraison importante de vêtements et il devait me donner l'argent. Il était tout excité. Il avait fait un *deal* fantastique. Il allait réussir à placer tous ses vêtements d'un seul coup.

«J'étais sûre qu'il exagérait, que le *deal* n'était pas si extraordinaire — il en met toujours trop, mon père —, mais je m'en foutais.

Il allait pouvoir me donner les six cents dollars qu'il nous devait, c'est ce qui m'importait. Je me suis rendue au centre-ville comme prévu, je l'ai attendu. Une heure, deux heures, trois heures. Il n'est pas venu. Je suis rentrée à la maison, enragée.

«Il est arrivé vers minuit, livide. Il s'est effondré sur le divan du salon. Je ne l'avais jamais vu dans un état pareil. Il a dit: "Écoute, Dolorès, j'ai des ennuis. Mon *deal* n'a pas fonctionné. Il faut partir tout de suite." J'ai expliqué que je ne pouvais pas, qu'on avait un projet, toi et moi, qu'on avait rendez-vous à cinq heures du matin. Il m'a interrompue: "Je suis désolé, Do. On n'a pas le choix." J'ai compris, à sa voix brisée, que c'était sérieux. Il a sorti des caisses des placards, il s'est mis à jeter toutes nos affaires dedans.»

— On ne peut pas déménager comme ça, en pleine nuit.

— Oui, on peut. On l'avait déjà fait, à Amqui. Mon père n'avait pas d'argent pour payer le loyer. Encore une fois, son affaire en or n'avait pas marché.

— Les vêtements?

— Non, pas les vêtements. À Amqui, il était conseiller matrimonial, je crois. Je ne sais plus. Il a fait tellement de métiers:

importateur de gogosses *Made in Taiwan*, photographe de touristes, raconteur d'histoires sur l'Abitibi dans un bar, à Joliette. Il a même été traiteur spécialisé en sauce à spaghetti. À La Guadeloupe, il faut le faire!

— Et, à présent, il danse la salsa.

— Comment le sais-tu?

— Continue.

— J'avais l'habitude de déménager en vitesse. Mon père, quand il a décidé de partir, il faut que ça saute. C'est pour ça d'ailleurs qu'on n'a presque pas de meubles et juste des vieilleries. Mon père dit qu'il faut être léger dans la vie. Il ne faut pas s'attacher. Cette fois, je sentais que ça pressait plus que d'habitude. Il m'a avoué qu'il devait beaucoup d'argent au propriétaire et à d'autres gens. Qu'il avait besoin de temps pour se renflouer et rembourser.

— Rembourser?

— Oui. Quand il se sauve, c'est toujours avec la ferme intention de rendre ce qu'il doit. D'ailleurs, je sais qu'il a fini par payer le proprio d'Amqui. Et, à celui de Montréal, il a envoyé pas mal d'argent.

— Et celui de la rue Desbaillets?

— Tu es au courant? Celui-là, il devra attendre. À moins que…

— À moins que ton père remporte le grand prix, ce soir.

Elle me regarde, estomaquée.

— Tu sais ça aussi?

— Continue.

— J'aurais pu faire une crise, mais je savais que c'était inutile. Il est gentil, mon père, mais quand il a décidé quelque chose, c'est final. Et puis, il avait l'air si paniqué. J'ai eu peur, moi aussi. On a emballé nos affaires en moins de deux heures. On les a descendues en douce par l'escalier de derrière. On a tout mis dans la vieille remorque, sauf le divan. Il n'y avait pas assez de place. Mon père a dit: «On en achètera un autre. Il était laid, de toute façon.» Je n'ai pas répliqué. C'était le quatrième divan hideux qu'on laissait derrière nous.

«Avant de partir, je suis remontée. J'avais gardé un bout de papier et un crayon dans ma poche pour t'écrire une note. J'ai commencé: "Chère Véro…" Mais je ne trouvais pas les mots. Qu'est-ce que je pouvais dire? Il aurait fallu que je noircisse des pages et des pages pour tout t'expliquer. Te parler de mon père, de ses innombrables *business* qui ne marchent jamais. Il aurait fallu que je t'écrive tout ce que je n'avais pas montré, pendant ces quatre mois. Que je te raconte l'autre partie de moi. Celle qui n'en peut plus, qui voudrait une autre vie.

«Mon père est apparu dans la cuisine en chuchotant: "Do, pour l'amour, qu'est-ce que tu fais? Il faut s'en aller. J'ai l'impression qu'on a réveillé les voisins d'en bas. Vite!" J'ai enfoncé le bout de papier dans ma poche. On a filé. Il a dit: "On va chez mon cousin dans le Maine. Pour un bout de temps. Il va nous héberger."

«On a traversé la frontière à cinq heures et quart. J'ai pensé à toi qui m'attendais au coin de la rue. J'ai failli éclater. Mon père a dit: "Souris pour le douanier." Il lui a raconté une longue histoire pour justifier le fait qu'on aille visiter notre cousin avec une remorque remplie de meubles décrépits. L'homme a hésité, puis il nous a laissés filer. On est arrivés chez le cousin, à Augusta, vers onze heures du matin.»

— Il n'y a pas le téléphone, à Augusta?

— Je sais, j'aurais dû t'appeler. Tous les jours j'y ai pensé, pendant plusieurs mois. Mais mon père insistait pour que je ne révèle à personne où on était. Les jours ont coulé. J'ai repris ma vie. Je me suis inscrite à l'école. Au début, je détestais ça, mais je me suis habituée. Souvent, je me disais: «Elle doit vouloir me tuer, ou bien elle m'a oubliée.»

— Et ton père, est-ce qu'il parlait de moi?

— Mon père, dès qu'il est parti, il oublie. Il a commencé à donner des leçons de français à des gens qu'il recrutait par les petites annonces. Ça a très bien marché jusqu'à ce qu'un de ses étudiants se rende compte que sa grammaire n'était pas exactement irréprochable… Il s'est alors lancé dans la salsa. Il y avait plein de cours là-bas. Il est vite devenu excellent. Il s'est mis à enseigner.

«Un beau matin, il a décrété: "J'ai remboursé une bonne partie de ce que je dois. On peut rentrer. J'ai une idée formidable pour me rétablir." Le soir même, on était sur la route. C'était il y a six mois. On a loué un petit quatre et demi sur la rue Desbaillets. Un truc minable. Il voulait enseigner la salsa dans notre salon. Il a mis des annonces, mais personne ne répondait.

«Les jours passaient, l'argent n'entrait pas. Il était de nouveau nerveux et préoccupé. J'ai cherché du travail, pour les soirs et les fins de semaine. J'ai fait le ménage dans un hôtel, c'était l'horreur. Ensuite, j'ai servi des hamburgers chez Joséphine.»

— Dominique Desrosiers.

La surprise dans ses yeux.

— Desrosiers, c'est le nom de ma mère. Dominique, c'était pour m'amuser. Mon père m'avait recommandé: «Ne donne pas ton vrai nom, comme ça, si on a des ennuis…» Quelques jours après, on s'est sauvés de la rue Desbaillets en pleine nuit. Mon père a dit: «Pour la salsa, ce sera mieux en banlieue. Ici, c'est trop minable.»

— Et maintenant, qu'est-ce que vous allez faire?

— Lui, je ne sais pas. Repartir sur autre chose. Le merengue, le tango, n'importe quoi. Moi, je m'arrête. Je travaille ici encore quelques jours, puis je retourne chez notre cousin dans le Maine. Il m'a trouvé un emploi dans une pharmacie, pour l'été. Je vais faire mes études là-bas. Mon père, je l'aime, tu le sais. Mais je… je ne peux plus le suivre…

— Un menteur et un voleur.

Les mots ont jailli de ma bouche malgré moi.

— Non. Seulement quelqu'un qui ne peut pas se résoudre à avancer dans la vie à petits pas, qui a besoin de recommencer à neuf tout le temps. Effacer le tableau et dessiner une nouvelle chimère, tous les matins. Moi, je ne veux plus reprendre à zéro. Je veux continuer. Mettre un pas devant l'autre et continuer.

— Il est d'accord?

— Il ne le sait pas encore. Dès que j'essaie d'aborder le sujet, il tourne tout à la blague, il me raconte sa nouvelle idée avec ses yeux qui pétillent, il conclut: «De toute façon, il restera toujours…» et je réponds: «L'accordéon» en riant. Mais à l'intérieur je ne ris pas du tout.

Elle baisse les yeux. Elle pleure. Alors je pleure aussi. Ça coule en petites rigoles bien tracées sur mes joues, mon menton, mon cou. Toutes les larmes emmagasinées quelque part dans je ne sais quel immense réservoir entre mon coeur et mon estomac.

Je pleure sur la peine de Dolorès et sur ses cheveux envolés, sur son père, son sourire et ses folies. Je pleure sur ma bague et sa boucle d'oreille au fond du fleuve Saint-Laurent, témoins de nos serments. Je pleure sur la salsa que je n'aime pas et la sauce à spaghetti que j'aime tant et sur les pique-niques magiques sur les toits. Je pleure sur Natashquan où je ne suis pas allée, sur mon père dans sa brume que je n'ai jamais vu, sur le saladier de ma mère brisé en mille morceaux et sur tous les divans du monde abandonnés dans les salons désertés.

Je ne savais pas qu'il y avait tant d'eau à l'intérieur de moi. Je baisse les yeux, étonnée de ne pas voir une immense flaque à mes pieds.

Do entoure mon épaule de son bras.

— Quand je t'ai entendue, l'autre jour, crier mon nom dans la rue, j'ai paniqué. Je ne voulais pas te voir. J'avais honte.

— Honte?

— D'être partie sans laisser de traces. J'ai tellement de peine d'avoir fait ça. Est-ce que tu me crois?

— Oui, je te crois.

— Bon, il faut vraiment que je descende. Je vais me faire engueuler.

Elle s'éloigne.

— Attends! Je... euh... Tes cheveux. Pourquoi?

— J'avais envie d'un énorme changement. J'ai dit au coiffeur: «On rase tout.» Il ne voulait pas. J'ai pris les ciseaux. J'ai coupé dans le tas.

— Comment te sens-tu?

— Toute nue.

— Tu es belle.

Elle m'embrasse sur les joues.

— Attends. Tu oublies ton livre. Qu'est-ce que c'est?

— *Sur la route.* C'est l'histoire d'un gars qui part.

Elle se dirige vers l'escalier.

— J'ai quelque chose à te demander.

Je m'approche, je la fixe droit dans les yeux.

— Promets que si je t'aperçois dans un an, dans cinq ans, dans quinze ans, à Montréal ou à Augusta, ou à la Guadeloupe, pourquoi pas? La vraie Guadeloupe, celle des plages et des cocotiers… Si je te vois de loin et si je crie ton nom, promets que tu vas te retourner, que tu vas me regarder et que tu vas dire: «Oui, c'est moi, Dolorès Desnoyers.»

Elle souffle: «Je promets.»

Elle se sauve. Je reste encore un peu à observer au loin la silhouette du pont Jacques-Cartier. Puis je descends aussi.

Juste devant le bateau, JFK s'est endormi sur un banc. Je le secoue.

— Tu m'as attendue?

— Euh… oui. Qu'est-ce qu'on fait?

— On rentre.

— Est-ce que ça va?

— Oui, je pense que oui. Le Saint-Laurent au complet a coulé de mes yeux. Maintenant, ça va mieux. Je me sens plus légère. C'est lourd à porter, tout un fleuve dans l'estomac.

On marche lentement. Je frissonne. Il me passe son blouson.

Il ne dit rien du tout. Je prends sa main: «Merci, JFK. Merci mille fois d'être là.» Il rougit. Et moi aussi.

Sur la route

Assise par terre au fond de la cuisine, bien cachée derrière l'énorme poubelle grise, je sors un livre de ma poche: *Sur la route.*

Cela fait trois semaines que je fais des hamburgers au restaurant Joséphine. Celui-là même où travaille Stéphane, le grand boutonneux qu'on a interrogé, JFK et moi, pendant notre enquête.

Je regarde ma montre: quinze heures. C'est le moment creux de la journée. J'ai droit à dix minutes de pause, mais je prolonge toujours tant que je peux.

J'ouvre mon livre sur mes genoux. *Sur la route.* L'histoire d'un gars qui part... Je retire la carte postale glissée entre les pages. Sur la photo, de jolies maisons victoriennes entourées d'arbres et de pelouses parfaitement taillées. En lettres rouges, au bas de l'image: *Augusta, Maine.* Je lis pour la ixième fois le message au verso.

Chère Véro,
L'autre jour, sur le bateau, j'ai oublié de te dire: tes nouvelles lunettes sont magnifiques.
Do

Je plonge dans le roman de Jack Kerouac.

Refermant un matin pour la dernière fois mon lit douillet, je pris le large avec le sac de toile où j'avais serré quelques objets indispensables et je mis le cap sur l'océan Pacifique avec mes cinquante dollars en poche.

Je ferme les yeux. Je refais mentalement le calcul de l'argent que je peux mettre de côté jusqu'à la fin de l'été. Si je ne dépense pas trop, je pourrai me payer un petit voyage. Je m'imagine au terminus avec mon sac à dos. JFK, peut-être, à côté de moi, venu me dire au revoir. Ma mère, assurément, nerveuse et excitée, qui me donne dix mille conseils à la minute. Je vois tout parfaitement, sauf une chose: la destination.

J'ai d'abord pensé aller à Augusta rejoindre Dolorès. À présent, je sais que je n'en ferai rien. On a changé toutes les deux. J'aurais trop peur qu'on ne se retrouve pas, que la magie ait disparu entre nous. Et puis, j'ai envie de faire quelque chose toute seule. Une chose qui m'appartienne totalement.

Je sais ce que vous pensez: Natashquan. Cela fait des jours que je tourne autour de cette idée. J'ai même osé en parler à ma mère, et elle n'a pas crié. On a longuement discuté.

Elle m'a confié qu'elle l'avait aimé très fort, qu'elle n'a jamais vraiment compris pourquoi il est parti. Quand je lui ai demandé comment il réagirait s'il me voyait, elle a répondu: «Ton père, ma fille, c'est un original. On ne peut jamais prévoir ses réactions. Il peut sauter de joie, mais il peut aussi se fermer complètement.» Un original. Cela m'a fait rêver.

Il paraît que la route se rend maintenant jusqu'à Natashquan. Une route sommaire, de terre et de gravier, mais une route tout de même. Je ne sais pas encore si c'est là que j'irai cet été. Je manquerai peut-être de temps, d'argent ou de courage.

Pourtant, un jour, je vais le faire, ce voyage jusqu'au bout du chemin. Je vais descendre de l'autobus, je vais frapper aux portes de toutes les maisons jusqu'à ce que je trouve un homme qui a mes yeux, mon nez, mon sourire, quelque chose de moi. Alors, je vais dire: «C'est moi, Véronique.» Je vais le regarder droit dans les yeux. Et il n'y aura pas de brume du tout entre nous.

— Véro! Vite, il y a dix clients qui viennent d'arriver en même temps. Dépêche-toi.

C'est Stéphane.

— Véro, viens!

Il faut que j'y aille.

Je remets la carte dans le livre, le livre dans ma poche. Je replace ma robe rouge et je remonte mes bas rayés, ceux-là mêmes qui découpent la jambe comme un saucisson.

— Véro!

— Oui, oui, je viens!

Carole Fréchette
Carmen en fugue mineure
DO pour Dolorès

Bertrand Gauthier
La course à l'amour
Une chanson pour Gabriella

Charlotte Gingras
La liberté? Connais pas...
La fille de la forêt

Marie-Francine Hébert
Série Léa:
Un cœur en bataille
Je t'aime, je te hais...
Sauve qui peut l'amour

Stanley Péan
L'emprise de la nuit

Maryse Pelletier
Une vie en éclats

Francine Ruel
Des graffiti à suivre...
Mon père et moi

Sonia Sarfati
Comme une peau de chagrin

Achevé d'imprimer
en novembre deux mille cinq, sur les presses
de l'imprimerie Gauvin, Gatineau, Québec